作家たちの17歳

千葉俊二

岩波ジュニア新書 951

はじめに――バタフライ・エフェクト

これまで多くの作家の生涯を観察してきて、気づいたことがあります。

それは、十代後半が人生のひとつの大きな分岐点になっていることです。そして作家にかぎらなくても、この十代の後半をどう生きるかということが、その後の人生にとってとても大事なことだとつくづく思います。

誕生から中学卒業ころまでは、自分の持って生まれた資質や、生まれ育った環境などに支配されるところが多いでしょう。それらは、自分自身にとって、どのようにも動かしがたいものですし、自分ひとりの力で自己の境遇を変えようとしても難しいことでしょう。

しかし十代の半ばにおいて、多くの人は、はじめて自覚的に人生の選択ということを迫られることになります。まずは就職するのか、高校や大学へ進学するかどうかを決めなければなりませんし、進学するにしても理系か文系か、あるいは現在ならば文理融合のリベラルアーツ系か、それとも芸術系かの進路を、自分自身の意志で決めなければなりません。それまでは、大人になることへの期待や不安を感じても、自分の生き方といったようなことはあまり考えずに、毎日を過ごすことができました。それが十代の半ば以降になると、ひとつひとつの行動にも、自己の判断が求められることが多くなります。

人生はそうした判断の総和として存在しています。私たちはつねに自分の前にあるもろもろの選択肢の中から、ひとつだけを選び取ることを迫られております。そして、その判断が現在および将来の自己の人生に大きな意味をもつことになります。

それは私たちが日常において幾通りもの行為の可能性があっても、そこからたったひとつの行為しか選ぶことができないということでもあります。いま私はこの瞬間にこの原稿を書きつづけることもできますし、ゴロッと寝転んで休むこともできます。あるいはテレビを視《み》ることも、散歩することも、風呂に入ることもできますし、スマホで友だちに連絡をとることもできます。

しかし、私は同時にふたつのことをおこなうことはできませんし、また困ったことに何かを選択しないということもできません。生きて行くかぎり、何かひとつを選択しつづけなければなりませんが、その選択の積み重ねが私の歴史であり、私の人生のコンテキスト(文脈)をつくることになります。

みなさんはバタフライ・エフェクト(効果)という言葉を聞いたことがありますか。二〇二一年度のノーベル物理学賞を受賞した真鍋淑郎《まなべしゅくろう》さんたちの研究は、地球の気候を物理的にモデル化し、気候変動を定量化して地球温暖化への信頼性の高い予測を可能にしました。その受賞理由を説明するスウェーデン王立科学アカデミーの資料の冒頭には、「ローレンツ・カオス」と呼ばれる、蝶《ちょう》が羽を拡げたような、複雑な運動の軌道を図形化したものが掲げられていたといいます。

気象学者のエドワード・ローレンツは、一九六一年にコンピュータ上で気象予報プログラムを作成し、その確認のためにデータの入力値を、時間を節約しようと、小数点以下千分の一の位を四捨五入して入力しました。千分の一くらいの誤差は、大したことはないだろうと高《たか》をくくったわけです。

そこでコンピュータが計算を終えるまで(当時のコンピュータの性能は、今日と比べればとても十分なものではありませんでした）、コーヒーを飲みに行ったといいます。小一時間ほどして戻ってみると、コンピュータは一回目とはまったく異なったグラフを打ち出しており、ローレンツは最初コンピュータが壊れたと思ったそうです。が、データを調べていったら、ごくわずかな入力値の差が、時間の経過とともに非常に大きな誤差となってあらわれていることに気づかされたといいます。

同じ物理現象でも、私たちにとって予測可能なものと不可能なものとがあります。日食や月食はほとんど完全に計算することができますが、天気予報は昔から比べればかなり精度が上がってきたものの、長期予報に関しては今日でも不可能です。たとえば、東京で観測される次の金環日食《きんかんにっしょく》は二〇一二年四月八日ということですが、その日の東京の天候を言い当てろといってても無理でしょう。

宇宙空間は真空ですからニュートン力学もほぼ理論どおりに作用しますが、この地球は大気によって覆《おお》われています。そこには空気抵抗やさまざまな摩擦《まさつ》などのフィードバック現象が起こり、偶然に左右されることが多いのです。まして二酸化炭素など大気の成分によっても気候が大きく変動するということになれば、その計算式はきわめて複雑で、世界一のスーパーコンピュータをもってしても計算しきれるものではありません。

バタフライ効果とは、ローレンツが一九七二年におこなった講演のタイトル、「予測可能性――ブラジルでの一匹の蝶の羽ばたきがテキサスに竜巻《たつまき》を引き起こせるのか？」に由来します。実際にブラジルでの一匹の蝶の羽ばたきがアメリカのテキサスで竜巻を引き起こすのかといえば、そんなことはないでしょう。が、気象の初期値鋭敏性《えいびんせい》と長期予測不可能性を表現する比喩《ひゆ》として使われたこの言葉のインパクトは強烈で、またたく間に世界中に知れわたることになりました。

二〇〇四年には、ハリウッドで「バタフライ・エフェクト」という映画も制作されました。人生で選択を迫られるさまざまな場面で、もしこの道を選ばずに、もうひとつの別の道を選んでいたならば、どうなっていただろうと誰しも考えずにおられませんよね。まさに「バタフライ・エフェクト」は、そうしたホンのちょっとの初期値の違いによって、人生がまったく異なってしまうということを物語化したものでした。

私たちの人生もニュートンの万有引力に支配されているのではなく、初期値鋭敏性をもった天気予報と同じです。明日の天気は分かったとしても、長期予報はまったく不可能です。

きのう読んだ本に人生を左右されるほどの影響を受けるかもしれませんし、きょう会った人物から受けた感化によって思いもよらない方向へ人生を歩み出すかもしれません。

　私たちはつねに人生の軌道修正をしながら生きつづけているわけですが、十六、七歳ころの人生の岐路《きろ》は、ことのほか大切なものです。中学から高校時代にかけて、私は多くの文学作品を乱読しましたが、深い感銘《かんめい》を受けた作品を読むと、この作家は私と同じ年ごろのとき、どんな勉強をして、どんな体験をしたのだろうかと考えざるをえませんでした。

　本書は、日本の文学史に大きな足跡をのこした作家たちが、十七歳のときにどのような選択をしたか、探ってみたものです。そして、その選択がその後の作家の人生においてどのような影響を及ぼしたかを確認してみたものです。これらは、きっとみなさんの生き方にもひとつのヒントを与えてくれるものと思います。

本文中の引用は、原則として、文語体の作品をのぞいて新かなづかいに改め、漢字に適宜ふりがなを加えました。筆者による注や補いは〔　〕に入れて示しています。

作家たちの十七歳

目次

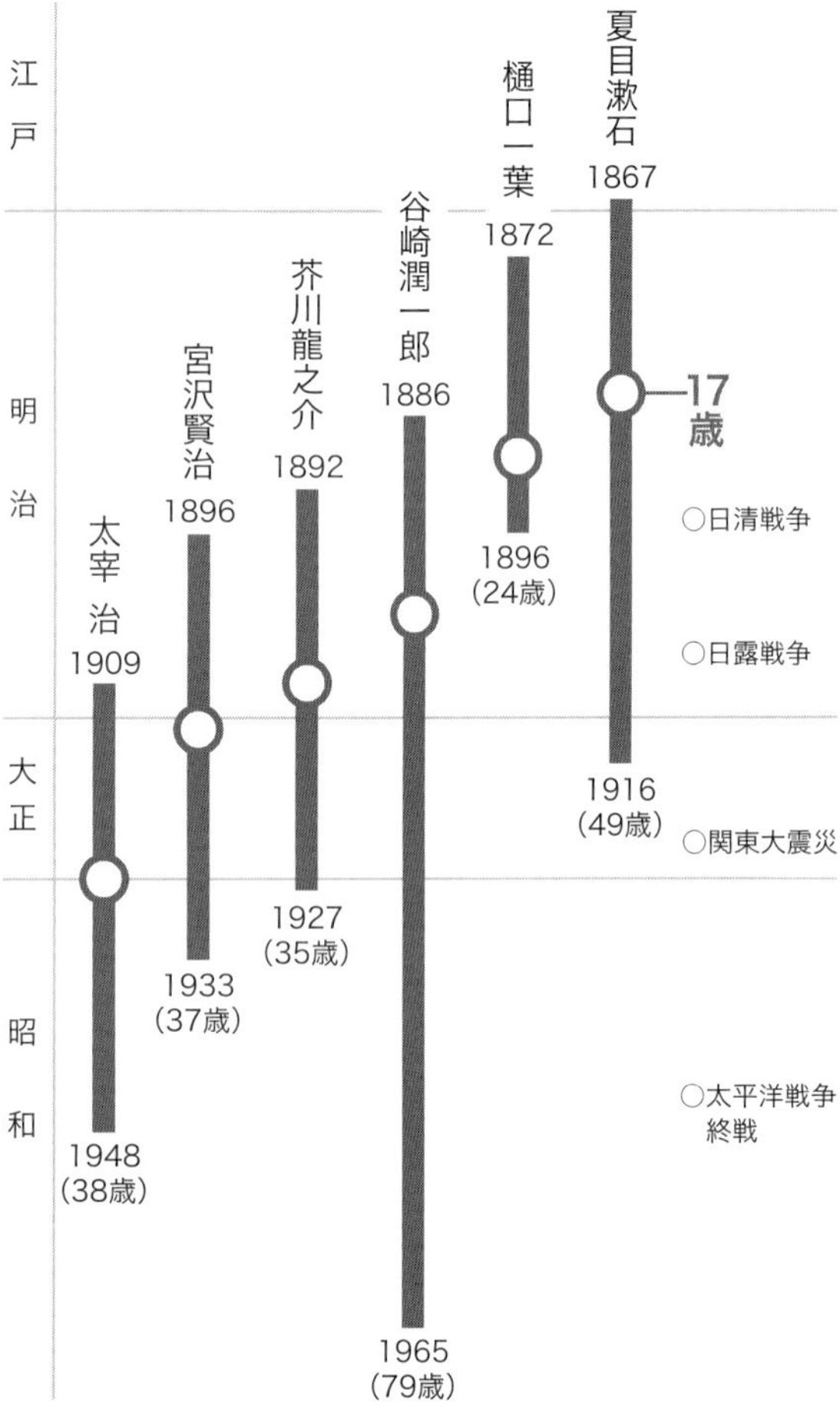

この本で取り上げる作家たち

第一章 太宰治

「作家になろう、と
私はひそかに願望した」

【太宰《だざい》 治《おさむ》】

一九〇九―一九四八年（明治四二―昭和二三）。本名は津島修治《つしましゅうじ》。青森県生まれ。現在、斜《しゃ》陽館《ようかん》という記念館となっている大きな屋敷をもつ大地主の六男で、青森中学校、弘前《ひろさき》高校を経て、東京帝国大学仏文科を中退。学生時代に左翼運動に参加して検挙《けんきょ》されたこともある。青森の芸妓《げいぎ》と結婚し、自殺未遂、薬物中毒など荒廃した生活を送った。一九三六年、「思い出」「道化の華《はな》」などの初期代表作を収めた第一創作集『晩年』を刊行。その後、美知子夫人と再婚した頃から精神的に安定し、「富嶽百景《ふがくひゃっけい》」「女生徒」「走れメロス」「女の決闘」「東京八景」などの短篇を執筆。第二次世界大戦中も旺盛《おうせい》に創作を続け、「津軽」「新《しん》釈諸国噺《しゃくしょこくばなし》」「お伽草紙《とぎぞうし》」などを書いた。戦後は「パンドラの匣《はこ》」「ヴィヨンの妻」「斜陽」などで流行作家となったが、三八歳で「人間失格」を残し、愛人と玉川上水に入水自殺した。

前ページの写真は高等学校入学の頃

十六歳の日記

一九二六(大正十五)年一月一日から、太宰治――当時はいまだ津島修治という青森県立青森中学校の三年生にすぎませんでしたが、のちに太宰治というペンネームを名乗ることになるその中学生が、日記を書きはじめています。太宰治は(以下、太宰と書きます)、一九〇九(明治四十二)年六月十九日生まれですので、このときには満十六歳六ヶ月で、この年の誕生日を迎えて十七歳になっております。

一月一日(金曜)

とうとう日記をつけることになった。イヤつけねばならなくなった。自分は今人生の岐路《きろ》に立って居《い》るのではないかと思って居る。(勿論《もちろん》人生のホンノ一小分岐路《ぶんきろ》だろう)その岐路に於《お》ける自分の歴史を作って行かねばならぬと自分は思って居る。以前には日記をつけても日記帳に記入するものがなくてヘイコウした。あの時には自分は未《ま》だ自覚というものが薄かったからだと自分は思う。今自分は自覚して居る。そして立った。そして戦〔お〕うとして居る。この十五年度の日記にはその自覚した自分との戦況《せんきょう》がスッカリ表われることであろう。

こんな風に書きはじめております。みなさんのなかにも、今年こそは日記をつけようと思って、正月元旦《がんたん》から書きはじめてみたという方は多いのではないかと思います。が、私自身の経験からしても、たいていは三日坊主で終わってしまいますね。このときの太宰は、感心なことに一月三十日(土曜)まで一ヶ月間ほどつづけております。

太宰の実家の津島家は、青森県北津軽郡金木村《かなぎ》(現在の五所川原市)にあり、県内でも有数の大地主でした。現在は斜陽館として太宰治記念館になっているその生家は、約六百八十坪の宅地に、階下が十一室二百七十八坪、二階が八室百十六坪という豪壮《ごうそう》な大邸宅《だいていたく》でした。太宰は父源右衛門《げんえもん》と母たねの第十子六男として生まれています。冬休みに青森の寄宿先から実家へ帰った太宰は、多くの親族と楽しい日々を過ごしたようで、日記にはその日その日の行動を簡略に記しております。

暗号で書く

この日記の顕著《けんちょ》な特徴になっていることのひとつに、暗号的な表現を使っているということがあります。たとえば、一月十日に青森市の寄宿先へ帰る途中のようすを、こんな風に書いております。

五所川原尾立手四里眼野大黄い尾ん菜(上《ーウ》覚成)余尾見手居多、気身輪留可ら不、懐しく覚湯、のり更へて四里羽少し羽菜例《ーイ》多里、遠くより腸胃〱世大《ーヲ》身留、嬉詩。

これをどう読んだらいいでしょうか。「上《ーウ》」はジョウからウをマイナスするということで、「ジョ」となり、「上《ーウ》覚成」は「ジョガクセイ」となります。これを普通の文章になおせば、「五所川原《ごしょがわら》を発《た》ちてより眼の大きい女(女学生)余を見て居た、気味悪からず、懐《なつ》かしく覚《おぼ》ゆ、乗り換へてよりは少し離れたり、遠くよりちょいちょい余を見る、嬉し」と読めます。

一月十五日には金木町長をしていた一番上の兄文治《ぶんじ》が青森にやってきて、兄の使いでパンを買いに行っています。そこで「承如乎来留、勘印の心尾持津」(少女が来る、姦淫《かんいん》の心を持つ)と記しますが、こうした表記は異性に対する性的な欲望にかかわる箇所か、喫煙《きつえん》など中学生にふさわしからぬ不良的な行為の記述にかぎられております。

石川啄木《いしかわたくぼく》は妻に読まれることを恐れ、ローマ字で赤裸々《せきらら》な日記を記しましたが、日記は誰に見せるものでもありません。わざわざ暗号めいた表記で記す必要もなかったと思いますが、このとき青森の下宿先に同居していた弟の礼治《れいじ》、あるいは下宿先に頻繁《ひんぱん》に出入りしていた友人たちに読まれることを恐れたのでしょうか。

太宰は、これまで日記が書けなかったのは「自覚」が薄かったからで、いま自分は「自覚」して立ち、「戦」おうとしているといっています。この日記は「その自覚した自分との戦況がスッカリ表わされること」になるだろうともいっておりますが、この時期に太宰が「自覚」して、「戦」わなければならなかったものとは何だったのでしょうか。そのひとつは明らかに、これまでは無自覚だった、自己の肉体のもっとも深いところから自分を揺り動かす力への「自覚」だったのではないかと思われます。

もちろん、そうした思春期の性の目覚めとも関連して、社会に対して自己の願望を可能なかぎり押し通したいという欲望もめばえます。そこに他者との軋轢《あつれき》といったものも生じますが、そうした自己の赤裸々な欲望を他者に知られるということは、とても恥ずかしいことです。他者に知られるばかりか、自分自身でも正面からそうした欲望と向かい合うことは、できることならば避けたいとも思います。

後年の太宰文学は、私たち自身のうちにあるこうした恥ずかしい、可能ならば他者の眼から隠しておきたい欲望を、これでもか、これでもかとばかりに抉《えぐ》りだしてゆきます。それは自己と、自己が身をおく人間社会を見極めるために必要なことですが、それが真に迫ればせまるほど、自己の歪《ゆが》んだ醜《みにく》さも明らかになってゆきます。そのことを自覚しはじめた太宰少年は、それを直視するのを恐れるかのように、遊戯的《ゆうぎてき》な要素もまじえながら、おずおずと自分にしか分からない暗号的な表記で書いたのだと思われます。

優等生の中学時代

太宰は一九一六(大正五)年四月に金木第一尋常《じんじょう》小学校へ入学して、一九二二年三月に卒業しています。その後、すぐに中学校へ入学せずに、金木町郊外の近隣四か村の組合立《くみあいりつ》だった明治高等小学校へ通っています。翌一九二三(大正十二)年四月に青森県立青森中学校へ入学しますが、太宰は小学校六年を終えてストレートに中学校へ入学した同級生たちからは一年遅れていたわけです(当時の学校制度について、くわしくは、27ページのコラムも見てください)。

当時の学校制度は尋常小学校までが義務教育で、小学校六年を終えれば中学校を受験することができました。太宰は「思い出」という作品に、「私は程《ほど》なく小学校を卒業したが、からだが弱いからと言うので、うちの人たちは私を高等小学校に一年間だけ通わせることにした」と書いています。が、実際は兄たちが小学校卒業と同時に弘前中学校に入学して、中学校のレベルの高さについていけなかったということがあり、修治少年は小学校時代から成績優秀でしたが、慎重を期して高等小学校に一年ほど通わせて、学力の補充を図《はか》ったようです。当時の中学校は、現在とは違って五年と年限が長かったのですが、成績優秀な学生は四年から高校を受験することができました。つい最近、青森高校（旧青森中学校）から太宰が在籍していたころの成績表が見つかったことが報道されましたが（二〇二一年二月十一日「朝日新聞」）、太宰は全科目においてとても優秀な成績でした。三年のときの席次《せきじ》は一六五人中で三番で、四年では四番でした。

現在とは違って、当時の中学生や高校生はいろいろな家庭の事情があって、誰しも同じ年齢で進学することができたわけではないので、年齢にばらつきがありました。太宰は中学を五年かけずに、四年で終了し弘前高等学校へ入学していますので、ストレートに進学した同級生たちと並んだわけです。

太宰が青森中学を受験する直前の一九二三年三月四日に、多額納税者として貴族院議員をつとめていた父源右衛門が五十三歳で亡くなっております。その前日に早稲田大学政治経済学部を卒業した長兄《ちょうけい》の文治が家督《かとく》を相続し、以後、父に代わってこの長兄が実質的な太宰の保護者の役割を果たします。

「作家になろう」

一九二六年の冬休みも終わるころ、青森の下宿へ戻ろうとしている太宰は、長兄の文治から「小説《しょうせつ》不可読之《よむべからずの》説《せつ》」を意見されたといいます。「小説を読むと人間の本当のことがわかる。しかれども人間の基礎を作る為《ため》に勉強してるんだから小説不可読而《よむべからずして》絶対えらくなれ」という長兄の言葉を記し、「涙の出る程《ほど》嬉しかりき」と書いております。

「思い出」にも中学三年のときの体験がクローズアップされています。登校の道すがら橋の欄干《らんかん》にもたれかかって、川の流れを見ながら「自分の来《こ》しかた行末《ゆくすえ》を考えた」といいます。

えらくなれるかしら。その前後から、私はこころのあせりをはじめていたのである。私は、すべてに就《つ》いて満足し切れなかったから、いつも空虚《くうきょ》なあがきをしていた。（中略）そしてとうとう私は或《あ》るわびしいはけ口を見つけたのだ。創作であった。ここにはたくさんの同類がいて、みんな私と同じように此《こ》のわけのわからぬおののきを見つめているように思われたのである。作家になろう、作家になろう、と私はひそかに願望した。

中学三年のときに太宰は、同じ青森中学校へ入学した弟礼治や仲間の同級生たちと同人雑誌「蜃気楼《しんきろう》」をはじめました。「日記」にも「雑誌」のことや「原稿」のことが多く記されていますが、「蜃気楼」は一九二五年十一月に第一号が発行され、高校受験のための勉強が忙しくなる一九二七年二月までに十二冊が刊行されました。太宰治、十六歳から十七歳にかけてのことです。雑誌刊行の資金に困ることはなかったとしても、その才能の早熟《そうじゅく》さ、行動力、バイタリティには驚かされます。

長兄文治からの忠告を聞いて、「日記」には「兄よ安心あれ、余《よ》以後絶対に止《や》む小説。代数、幾何《きか》、英語やる」と記しています。たしかに三年のときの成績では代数も一〇〇点を取っており、学業を怠《なま》けた形跡はありませんが、このときの「作家になろう」という決意も揺るがなかったようです。「蜃気楼」には毎号、小説を執筆しつづけております。

「正義と微笑」

後年、太宰は十六歳から十七歳になる、少年期から青年期へ移行する人物を主人公とした「正義と微笑《びしょう》」という作品を書いております。その「あとがき」に、「青年歌舞伎《かぶき》俳優T君の、少年時代の日記帳を読ませていただき、それに依《よ》って得た作者の幻想を、自由に書き綴《つづ》った小説」とあります。太宰の愛読者で親しく交際した若い友人に堤重久《つつみしげひさ》という人がいましたが、その弟の堤康久《やすひさ》(当時、前進座という劇団で中村文吾《なかむらぶんご》の名で俳優をしていました)の日記をもとに書かれた長篇小説です。

太宰文学には「女学生」「盲人独笑《もうじんどくしょう》」「パンドラの匣《はこ》」「斜陽《しゃよう》」など、他人の日記によりながら、それを自分の作品に巧《たく》みに作りなおしたものが多くあります。「正義と微笑」もそのひとつです。資産家の次男で、十六歳の芹川進《せりかわすすむ》という少年の一年八ヶ月余りの日記の体裁《ていさい》をとって書かれます。進は一高(旧制第一高等学校。現在の東京大学教養課程のこと)受験に失敗して、R大予科に入りますが、学生生活に幻滅《げんめつ》を感じて俳優への本格的な修業の準備に着手します。

僕は、きょうから日記をつける。このごろの自分の一日一日が、なんだか、とても重大なもののような気がして来たからである。人間は、十六歳と二十歳までの間にその人格がつくられると、ルソオだか誰だか言っていたそうだが、或《あ》いは、そんなものかも知れない。僕も、すでに十六歳である。十六になったら、僕という人間は、カタリという音をたてて変ってしまった。他の人には、気が附《つ》くまい。謂《い》わば、形而上《けいじじょう》の変化なのだから。じっさい、十六になったら、山も、海も、花も、街の人も、青空も、まるっきり違って見えて来たのだ。悪の存在も、ちょっとわかった。この世には、困難な問題が、実に、おびただしく在《あ》るのだという事も、ぼんやり予感出来るようになったのだ。だから僕は、このごろ毎日、不機嫌《ふきげん》なんだ。ひどく怒りっぽくなった。智慧《ちえ》の実を食べると、人間は、笑いを失うものらしい。以前は、お茶目で、わざと間抜けた失敗なんかして見せて家中の人たちを笑わせて得意だったのだが、このごろ、そんな、とぼけたお道化《どうけ》が、ひどく馬鹿らしくなって来た。お道化なんてのは、卑屈《ひくつ》な男子のする事だ。お道化を演じて、人に可愛がられる、あの淋《さみ》しさ、たまらない。空虚だ。人間は、もっと真面目《まじめ》に生きなければならぬものである。

こんな風に「正義と微笑」は書き出されています。太宰がこの作品を執筆したのは一九四二(昭和十七)年で、満三十二歳のときです。同年六月に錦城《きんじょう》出版社から刊行されています。おそらく太宰は、この部分を書きながら、自分も十六歳の正月から日記をつけ出したことを思い出したことでしょう。中学生のときには舌足らずで、うまく表現できなかった、モヤモヤした漠《ばく》とした感情も、ここでは三十歳をすぎたプロ意識をもった太宰の筆で、過不足なく的確な表現が与えられています。

誰しもこの引用を読めば、主人公と同じ年ころには自分も似たような感覚にとらわれたと感じざるをえません。「正義と微笑」は、少年から青年へかけての人格形成期にあるひとりの人物の軌跡をみごとに描いたヒューマンドキュメントです。希望と絶望のあいだを大きく揺れうごき、太宰文学の特色である自意識にさいなまれる心理も抉《えぐ》りだされておりますが、太宰文学には珍《めずら》しく明るい、向日的《こうじつてき》な作品に仕上がっています。

「正義と微笑」の主人公は、一日一日をとても重大なもののように感じて、自分なりに精いっぱいに生きてゆきます。「はじめに」で記した、初期値の鋭敏性に大きく左右される気象のように、バタフライ効果をおこす私たちの人生においては、ごくわずかな日々の努力がきわめて大事です。まして人生の最初の大きな分岐点に立つ十六、七歳の若者においてをや、です。

最初の創作――「最後の太閤」

後年の太宰文学の成功も、中学三年から四年にかけて毎月のように刊行しつづけた同人雑誌「蜃気楼《しんきろう》」に毎号、必ず作品を寄せた努力の結晶だったといえるかもしれません。太宰は同人雑誌をはじめる以前、すでに一九二五(大正十四)年三月に刊行された、青森中学校「校友会誌」第三十四号に「最後の太閤《たいこう》」という作品を発表しています。中学二年のときに書いたこの作品が、太宰の残されている最初の創作です。

「最後の太閤」は豊臣秀吉《とよとみひでよし》の死を描いております。臨終《りんじゅう》の秀吉の隣部屋には、徳川家康《とくがわいえやす》をはじめとした諸侯《しょこう》がつめています。秀吉は父と山へ薪《たきぎ》を取りに行った幼少のころの思い出から、生涯の節目《ふしめ》になった折々の場面を夢のように思い浮かべます。そして、最後にニッコリ笑った秀頼《ひでより》の顔を見て、「大声でウハッハッハッハッハッハッと笑いこけて」死んでゆきます。「その死顔に微笑を浮《うか》べて……。」

夕日は血がにじむような毒々しい赤黒い光線を室《へや》になげつけた。諸侯の顔も衣服も皆《みな》血で洗われてしまったように見える。否彼等《いなかれら》の心に迄《まで》も血がにじんで居《い》るだろう。裏の林の蟬《せみ》が又一《またひと》しきり鳴き始めた。

夕日はかくして次第《しだい》に西山に沈んで行く……。

太閤はかくしてあの世に沈んで行ったのである。

「最後の太閤」は、こんな風に結ばれます。文庫本で四ページたらずの短い作品ですが、とても十五歳の中学二年生が書いた作品とは思えません。日本の歴史上でも秀吉ほど人生に成功した英雄もないでしょう。可能ならばあやかりたいと太宰は思ったでしょうが、人生もこれからだという十五歳の少年が、遠い昔の英雄の死の姿を幻視《げんし》するということも、さほど類例のないことでしょう。

死に臨《のぞ》みながら、秀吉は自分の生涯が幸運つづきであったことに大いに満足し、最後に我が子秀頼の笑顔を見て、呵々《かか》大笑《たいしょう》して死にます。秀吉は豊臣家の安泰を信じて死んでいったのでしょうが、その後の歴史の展開を知っている私たちには秀吉の大笑の声も違ったニュアンスをもって響いてきます。

戦国の世を生き抜いた秀吉の一生も血塗《ちぬ》られ、血みどろなものでしたが、秀吉没後の秀頼の運命はまさに「血がにじむような毒々しい赤黒い光線」を投げかける夕日と同じように、血で洗われることになります。一代の英雄がどのように勢力をきわめようと、その偉業も西山に沈んでゆく夕日のように、歴史の闇のなかに沈んでゆかざるをえません。

そのとき読者にとっては、秀吉の大笑はみずからの生涯にわたる幸運を言祝《ことほ》ぐものばかりでなく、どんな英雄的な行為であれ、人間の営為《えいい》そのものに対する嘲笑《ちょうしょう》、バカ笑いとも受けとめられることになります。このように秀吉の死を一義的にとらえず、読者に多義的な解釈をゆだねるといった技法は、なかなか中学生のものとも思われません。

「地図」と自己意識

この時期の習作をもうひとつ読んでみましょう。一九二五年十二月発行の「蜃気楼」に掲載された「地図」という作品があります。これは翌年二月の「校友会誌」第三十六号にも再掲載され、青森中学校の国語作文漢文担当の教諭《きょうゆ》、谷地《たにじ》清蔵《せいぞう》が「この小説はたいへんうまい。全校一である」と激賞し、作文の時間に各組を朗読して廻《まわ》ったという作品です。太宰の習作のなかでもすぐれたもので、よく知られています。

豊臣の世が徳川の世に変わろうとしていた時代、琉球《りゅうきゅう》の首里《しゅり》の名主《めいしゅ》であった謝源《しゃげん》は、五年の歳月を費やし、しかも三度の大敗の憂《う》き目をみながらも、ようやく石垣島《いしがきじま》を征服しました。大広間ではその凱旋《がいせん》の宴《うたげ》がおこなわれ、ふたりの蘭人《らんじん》(オランダ人)が戦勝の祝いにやってきました。八年前に謝源は難破した商船から彼らを助けて世話してやったことがあり、いま日本へゆく途中に謝源の戦勝を聞き、ふたりの蘭人は祝いの品をもってやってきたのです。

その祝いの品とは世界地図でした。地図を広げて蘭人から説明をうけていた謝源は、「ヨシヨシ。して、わしの領土は一体どこじゃ」と聞きました。蘭人は当惑《とうわく》したように「サア、チョット見つかりませんようです、この地図は大きい国ばかりを書いたものですから、あまり名の知れてない、こまかい国は記入してないかも知れません」と答えます。

それを聞いて、謝源は呼吸が止まってしまったような衝撃をうけます。蘭人によって土足のままで鼻柱を挫《くじ》かれたような侮辱《ぶじょく》さえ感じますが、謝源は蘭人たちに大杯《たいはい》を差しのべます。蘭人たちがアルコール分の強い泡盛《あわもり》のような酒は飲めないと断りますと、「わしのような小国の王の杯《さかずき》は受けぬと言うのか、恩知らず奴《め》ッ」と、傍《かたわ》らにあった刀を取ってめちゃくちゃに振りまわし、蘭人ふたりの首をはねてしまいます。

謝源は「地図にさえ出てない小さな島を五年もかかって、やっと占領した自分の力のふがいなさに」呆《あき》れかえります。その後、飲酒、邪淫《じゃいん》、殺生《せっしょう》その他、乱行は日増しにはなはだしくなり、それから一年もたたないうちに石垣島の残党に首里は襲われます。謝源はひとりコッソリと一そうの小舟で逃れましたが、どこへ行ったか誰も知りませんでした。

この作品は、菊池寛《きくちかん》の小説「忠直卿行状記《ただなおきょうぎょうじょうき》」から大きな影響を受けていることが指摘されております（相馬正一「初期習作――大正十三年から昭和七年まで――」）。両者を読みくらべてみれば、それは否定しようもありませんが、ほとんどその痕跡《こんせき》も残さないように換骨奪胎《かんこつだったい》して、すっかり自分の物語に作りかえております。あらためてその才能には驚かされざるをえません。

「思い出」には、中学時代の自己を振り返って、「なにはさてお前は衆にすぐれていなければいけないのだ、という脅迫《きょうはく》めいた考え」をもち、「自分を今にきっとえらくなるものと思っていたし、英雄としての名誉《めいよ》をまもって、たとい大人の侮《あなど》りにでも容赦《ようしゃ》できなかった」という矜恃《きょうじ》をもっていたことが語られています。首里の名主の謝源のそれとまったく同じです。が、五年の悪戦苦闘のすえに石垣島を占有した英雄も、実際のところ、世界地図の視点からすれば、そこに記載されもしないちっぽけな島の征服者でしかなかったのです。中学時代の太宰は、間違いなく、自分の意識する自己認識と、他者の視点から見た自己存在とのギャップに気づかされ、その落差にひどく驚かされたのだと思います。いわば自己を他者の眼をもって外側から相対化して見ることができるようになったのです。

菊池寛の主人公「忠直卿」(徳川家康の孫、松平忠直《まつだいらただなお》)は、乱心したため家は断絶となり、改易《かいえき》によって豊後《ぶんご》国府内に流されます。忠直卿はその地で入道となり、領民と穏《おだ》やかな日々を過ごしたと描かれます。それに対して謝源は小舟で島を脱出し、行方《ゆくえ》が分からなかったと記されます。謝源の前途に待ちかまえる荒波の逆巻《さかま》く困難こそ、まさにこれから世に出てゆこうとする太宰の前途そのものだったといってもいいでしょう。どうもその先には忠直卿のような穏やかな生活を想像することはできません。

ふたつの衝撃――高等学校時代

一九二七(昭和二)年三月、青森中学校の四年を修了して、四月に弘前高等学校へ入学します。この高校時代に太宰は、作家となるにあたって決定的な感化をこうむったふたつの出来事に出会っております。そのひとつは、一年生のときの七月二十四日の芥川龍之介《あくたがわりゅうのすけ》の自殺です。

太宰は、芥川のアフォリズム(短い文からなる警句《けいく》・箴言《しんげん》)作品「侏儒《しゅじゅ》の言葉」を真似《まね》た「侏《しゅ》儒楽《じゅらく》」といった作品を「蜃気楼」に書きつづけました。習作のなかに芥川文学からの影響をうかがわせるいくつかの作品もあり、また肘《ひじ》をついた手の指で顎《あご》を支えた、芥川のよく知られた写真と同じポーズで写した写真が何枚か残されています。そんなところから、この時期の太宰が芥川に心酔《しんすい》していたということは明らかです。

当時の友人の証言によれば、実家でそのニュースを知った太宰は、直後に弘前へ戻り、下宿の二階に閉《と》じ籠《こ》もりつづけたといいます。そして、それからしばらくして元芸妓《げいぎ》の竹本咲栄《たけもとしょうえい》のもとへ通い、義太夫《ぎだゆう》を習いはじめ、やがて高校生の身でありながら花柳界《かりゅうかい》に出入りするようになります。学業にも以前のように身が入らず、成績も大きく下がりましたが、芥川の自殺は太宰に文学者の生と死にかかわる、根源的で甚大《じんだい》な、存在の基盤をも大きく揺るがす影響を与えたようです。

もうひとつは、当時多くの若者に影響を与えたコミュニズム(共産主義)との出会いです。のちに非合法共産党の中央委員長として活躍する田中清玄《たなかきよはる》が、太宰の入学と入れ違いに弘前高校を卒業しており、弘前高校では共産主義思想に共感する学生が多かったといいます。そうした背景もあって、太宰はこの時期に隆盛《りゅうせい》をきわめることになるプロレタリア文学――資本家に搾取《さくしゅ》される労働者の立場から、現実社会の矛盾《むじゅん》をあぶりだす文学への関心も強めてゆきます。

二〇一三年九月二十一日の「朝日新聞」には、「高校生・太宰、左翼の証し　文芸誌「戦旗」購読の記録」という記事が出ています。それによれば、弘前高等学校在学中の太宰は、治安維持法違反で逮捕《たいほ》された友人を通して、左翼文芸誌「戦旗」を購読していたというのです。「戦旗」は一九二八年に創刊され、小林多喜二《こばやしたきじ》「蟹工船《かにこうせん》」や徳永直《とくながすなお》「太陽のない街」など、プロレタリア文学を代表する作品が掲載された雑誌です。当時、弘前高校はこの雑誌の購読者は退学にする方針だったようですが、太宰はその危険を冒して、高校時代からプロレタリア文学にじかに触れていたというのです。

のちに戦後の「苦悩《くのう》の年鑑」で太宰は、「私は、無智《むち》の、食うや食わずの貧農の子孫である。私の家が多少でも青森県下に、名を知られはじめたのは、曽祖《そうそ》父《ふ》惣助《そうすけ》の時代からであった」と書いています。実家の津島家が新興の商人地主から大地主にのしあがったのは、婿養《むこよう》子《し》に入った曽祖父の惣助が金貸し業をおこなったからです。

津軽は頻繁に冷害や凶作に見舞われましたが、そのたびに百姓へ金を貸し付け、それが返せないと、土地を召し上げるということになります。したがって、飢饉《ききん》が起こるたびに、津島家の財産はふくれあがることになりますが、高校生にもなると、そうした社会のカラクリも次第に理解できるようになり、大地主の子弟だった太宰は、自ら搾取階級にあることへある種の負い目を感じざるをえなくなります。

高校二年の一九二八(昭和三)年五月には、同人雑誌「細胞文芸《さいぼうぶんげい》」を発行し、創刊号と第二号に、太宰の父を髣髴《ほうふつ》させるような、大地主の放埒《ほうらつ》きわまる好色ぶりを描いた長篇小説「無間奈落《むげんならく》」を発表します。これは未完に終わりましたが、一九三〇年には小作《こさく》争議を地主の内側から描き出そうとした長篇「地主一代」(これも未完)といった、階級意識に基づく作品にも取り組んでいます。

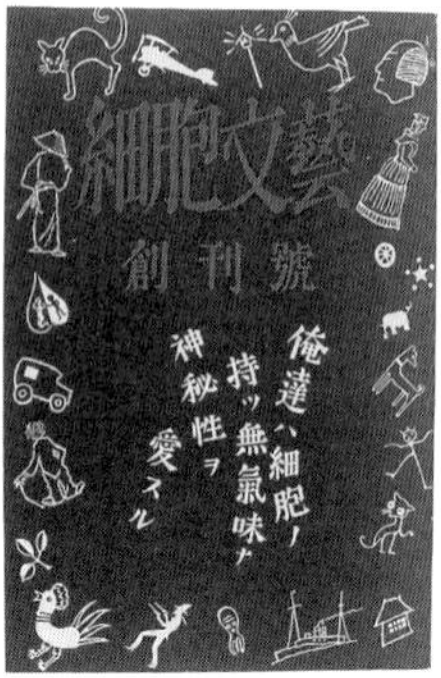

「細胞文芸」創刊号.表紙デザインは太宰の案による(日本近代文学館提供)

人生の死活問題

しかし、太宰が共産主義思想にどこまで共鳴していたかということについては、よく分からないところもあります。太宰の遺作となった「人間失格」には、共産主義の読書会や秘密会合にも出席する主人公に、次のようにいわせております。

マルクス経済学の講義を受けました。しかし、自分には、それはわかり切っている事のように思われました。それは、そうに違いないだろうけれども、人間の心には、もっとわけのわからない、おそろしいものがある。慾《よく》、と言っても、言いたりない、ヴァニティ、と言っても、言いたりない、色と慾、とこう二つ並べても、言いたりない、何だか自分にもわからぬが、人間の世の底に、経済だけでない、へんに怪談じみたものがあるような気がして、その怪談におびえ切っている自分には、所謂唯物論《いわゆるゆいぶつろん》を、水の低きに流れるように自然に肯定《こうてい》しながらも、しかし、それに依《よ》って、人間に対する恐怖から解放せられ、青葉に向って眼をひらき、希望のよろこびを感ずるなどという事は出来ないのでした。

太宰は、生涯の最後に完成させた作品の主人公に、自己の人生を駆り立てていたものを、マルクス主義の唯物史観（物質的・経済的現象を歴史の発展の原動力と考える立場）よりも、「何だか自分にもわからぬが、人間の世の底に」ある「へんに怪談じみたもの」と表現させています。えたいも知れず、人間の心の奥深くにうごめく何ものかへの恐怖。おそらく、太宰はその恐怖から逃れるために走りつづけなければならなかったのだと思います。

フランスの哲学者アンリ・ベルクソンは「私たちはどこから来たのか。私たちは何者なのか。私たちはどこへ行くのか」と問うことが、「死活の問題」であるといっています（『精神のエネルギー』原章二訳）。まさに太宰は、その短い生涯をとおして、果敢《かかん》にも正面からこの「死活の問題」に向き合ったのでしょう。太宰は自殺未遂を繰り返しながら、多くのすぐれた作品を書き、一九四八年、三十八歳で玉川上水への入水《じゅすい》自殺によって生涯を閉じました。

私たちの生は、つねに死と背中合わせにあります。自己の生を激しく燃焼させれば、燃焼させるほど死の淵《ふち》に近づかざるをえません。そこに生ずる強い緊張感はときに恐怖をさえ感じさせます。が、生の実感を味わわせるということでは、これほど充実した体験もないわけで、それを「怪談じみたもの」ということもできるでしょう。いわば太宰はそうした刺激にみちた人生を疾走《しっそう》し、誰よりも激しく生きたのだといえます。

コラム　近代日本の学校制度……その一

　現在、十七歳というと、一般的には高等学校の二年生になります。が、太宰治は中学校の四年生で、十七歳の一九二七（昭和二）年三月に青森中学校を卒業し、四月に弘前高等学校に入学しています。また次章でとりあげる宮沢賢治は中学校の五年生で、やはり十七歳の一九一四（大正三）年三月に盛岡中学校を卒業しています。

　現在の学校制度は、一九四七（昭和二十二）年三月に公布された学校教育法によって、いわゆる六・三・三・四と修学年限が定められています。が、太宰や賢治たちが学んだ第二次世界大戦以前の学校制度は、現在の制度とは大きく異なっています。義務教育である小学校卒業後の進学ルートもいろいろあり、同じ学年の生徒がみんな同じ年齢ともかぎりませんでした。さらに明治、大正期の学校制度は年代によって違っており、とても複雑なので、ここでその時代による制度の大枠についてまとめて説明しておきます。

　太宰と賢治は基本的に、図1で示した一九〇八（明治四十一）年の小学校令で、義務教育年限が四年から六年に延長された時期の制度によっています。前年三月に改正され、この年四月から施行されたものですが、ちょうど賢治が小学四年生のときに改正されて、賢治は尋常《じんじょう》小学校を、それまでの四年ではなく、六年で卒業しています。

それ以前の制度は、一八八六(明治十九)年に、初代の文部大臣森有礼《もりありのり》によって公布された「諸学校令」によったものが基礎となっています。諸学校令とは、このとき公布された、帝国大学令、師範《しはん》学校令(師範学校は教員を養成する学校です)、中学校令、小学校令という、学校制度に関する法令の総称です。

この諸学校令がいく度か改正されて図1のかたちに整備されていったのですが、その基本的な構造は大きく変わりませんでした。当初、小学校は尋常小学校と高等小学校にわかれていて、修学年限はそれぞれ四年で、尋常小学校の四年が義務教育年限とされました。男子は中学校、女子は高等女学校に、高等小学校二年を修了した十二歳から入学が可能でした。それが図1のように尋常小学校が六年になったことで、義務教育年限も六年となり、それにともなって高等小学校は、基本的に中学校を受験しない生徒が義務教育の後に学ぶ学校となりました。

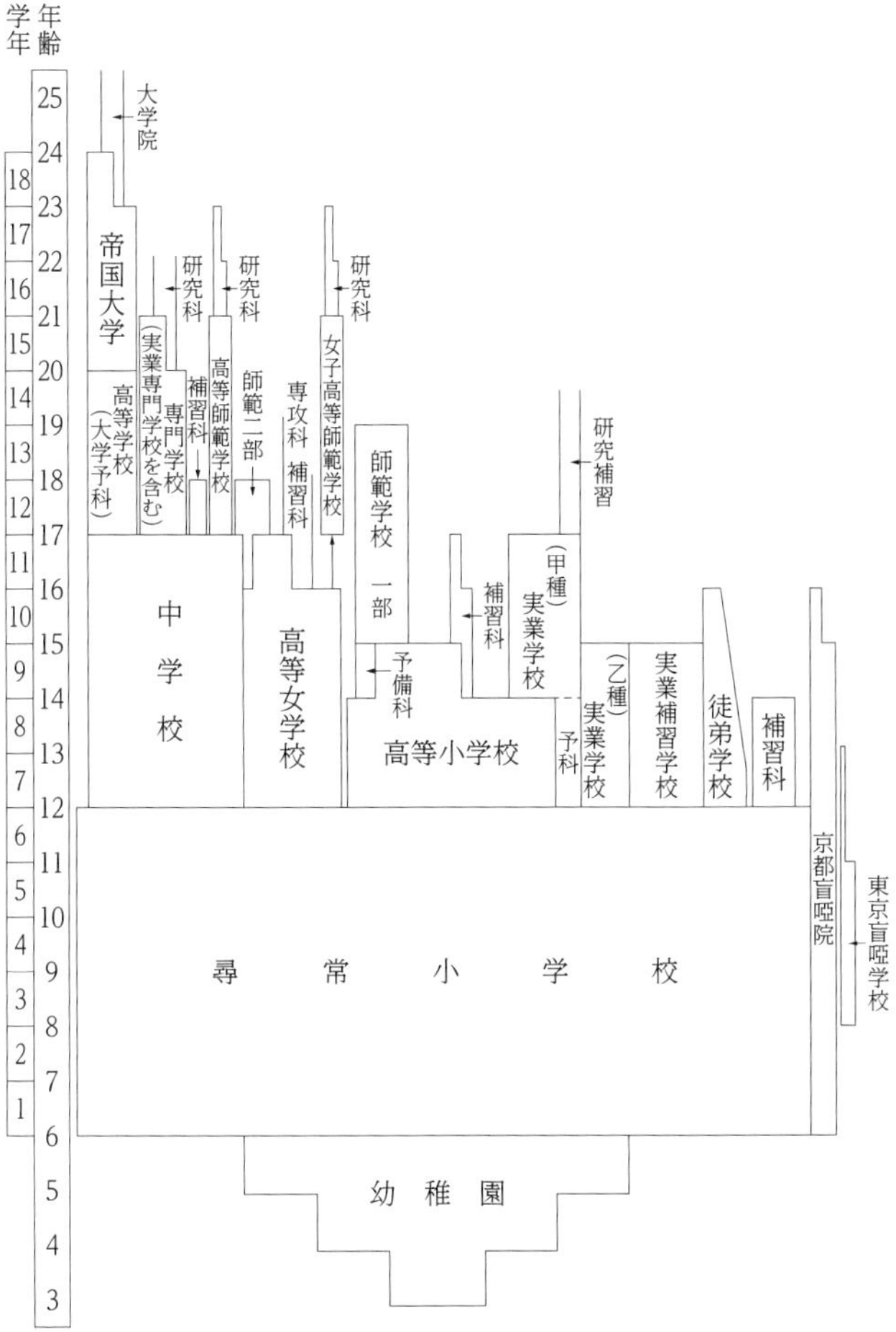

図1　1908年の学校系統図（文部省『学制百年史　資料編』）

中学校の修学年限は五年で、現在の中学校と高等学校二年までにあたります。のちに一九一九（大正八）年の改正によって、中学校は通常の年限より一年少ない尋常小学校五年修了で入学が可能となり、また同じように一年少ない中学校四年修了で高等学校への受験も可能になりました。賢治の修学年数は尋常小学校六年、中学校五年でしたが、太宰の時代には中学四年修了で高校受験が可能になったのです。それで太宰は中学校を四年で終えたわけですが、尋常小学校六年のあとにさらに高等小学校へ一年通っていたので、賢治と中学校の卒業は同じ年齢になりました。

当時の高等学校は、修学年限は三年で、現在の大学の教養課程にあたると考えていいでしょう。当時、大学は帝国大学のみで（東京、京都、東北、九州、北海道。のちに大阪と名古屋が追加されます）、大学の修学年限は三年（医学部は四年）でした。したがって高等学校の数も少なく、一八九四年の高等学校令では第一高等学校（一高）から五高までのいわゆるナンバースクールが設置されました。ちなみに二高（仙台）、三高（京都）、四高（金沢）、五高（熊本）で、のちに六高（岡山）、七高（鹿児島造士《ぞうし》館《かん》）、八高（名古屋）まで増えています。太宰が進学した弘前高等学校（現在の弘前大学）は、その後、一九一八年（大正七）の改正高等学校令によって一九二〇年に設立されましたが、大学予備教育と高等普通教育をかねる役割を担っておりました。

東京の中学校もナンバースクールでした。東京は一八七一(明治四)年から一九四三(昭和十八)年まで東京府という行政区域でしたが、このあとの章で取り上げる谷崎潤一郎は府立一中(現在の日比谷高校)、芥川龍之介は府立三中(現在の両国高校)の出身です。谷崎も芥川も一八八六年の諸学校令以降の学校制度のもとに学んでおります。ちなみに府立二中は現在の立川高校、府立四中は戸山高校で、府立二十三中(現在の大森高校)まで番号で呼ばれました。高等女学校は府立一女(現在の白鷗高等学校)から第二十高等女学校までありました。

一九一八年に公布された大学令によって、それまで専門学校と位置づけられていた帝国大学以外の公私立大学も大学として認可されるようになりました。たとえば、一八八二(明治十五)年に東京専門学校として設立された早稲田《わせだ》大学は、一九〇二年に早稲田大学と名称を変更しましたが、大学と称していても一九二〇年までは法制上、一九〇三年に制定された専門学校令の適用を受けていました。賢治が進学した盛岡高等農林学校(現在の岩手大学農学部)も、専門学校令によって実業専門学校と位置づけられていました。

第二章
宮沢賢治

「おれの恋は、
いまあの百合の花なのだ」

【宮沢賢治《みやざわけんじ》】

一八九六―一九三三年（明治二九―昭和八）。岩手県生まれ。生家は質屋と古着商を営む裕福な商家で、盛岡中学を経て盛岡高等農林学校を卒業。中学時代から短歌をつくり、法華《ほけ》経《きょう》に親しんだ。一九二一年、文芸で大乗仏教を普及させようと志し、猛然《もうぜん》と童話を書きはじめる。同年末に稗貫《ひえぬき》農学校の教諭となったが、翌年に妹のトシが死去、その衝撃から「永訣《えいけつ》の朝」「無声慟哭《むせいどうこく》」などの詩を書いた。一九二四年に詩集『春と修羅《しゅら》』、童話集『注文の多い料理店』を自費出版する。この頃から東北農民の貧しい現実に目を向け、農学校を退職して、自らも農耕に従事、羅須地人協会《らすちじんきょうかい》を設立し、農業指導や農民芸術の普及に努めた。やがて過労から肋膜《ろくまく》を病み、病床で詩や童話を執筆し、手帳に記された「雨ニモマケズ」の詩稿をはじめ、「風の又三郎」「銀河鉄道の夜」などの膨大《ぼうだい》な未発表草稿を残したまま死去した。

前ページの写真は中学校五年の頃（『宮澤賢治の世界』筑摩書房、より）

最初の人生の岐路

一九一四(大正三)年三月、宮沢賢治は岩手県立盛岡中学校を卒業しています。賢治は一八九六(明治二十九)年八月二十七日に生まれていますから(戸籍《こせき》上は八月一日生まれ)、満年齢で十七歳八ヶ月ということになります。

当時の学校制度は小学校は六年、中学校は五年でした。賢治が尋常《じんじょう》小学四年生の一九〇七年に小学校令の改正があり、それまで小学校は尋常科四年、高等科四年でしたが(尋常科四年が義務教育で、高等科二年を修了すると中学校の受験が可能でした)、それが尋常小学校六年が義務教育年限となりました。賢治も新制度によって花城尋常高等小学校を六学年で卒業して、盛岡中学校へ進学しました。

賢治は岩手県稗貫《ひえぬき》郡里川口《さとかわぐち》村(現在の花巻市豊沢町)に、父政次郎《まさじろう》、母イチの長男として生まれました。生家は祖父喜助《きすけ》が開いた古着商と質屋を兼ねた店を営んでおりました。長男の賢治には、当然その家業を継《つ》ぐことが求められましたが、賢治は生活に窮《きゅう》した百姓《ひゃくしょう》などを相手とするその陰気な商売を嫌いました。

祖父の喜助は手がたい商人で、家は裕福でしたけれど、商人に学問は不要ということで、祖父は賢治の中学校への進学に反対だったようです。が、父の政次郎は、賢治が小学校時代に成績優秀だったこともあり、これからの時代には新しい知識も必要ということで、中学受験を許してくれました。

中学校へ進学した賢治は寄宿舎《きしゅくしゃ》に入りました。博物と国漢（国語漢文）の科目を得意としましたが、数学を苦手とし、運動神経のにぶさはクラスの筆頭だったといいます。のちに高知大学学長をつとめた同級生の阿部孝《あべたかし》は、「いつも試験前になって、数学の勉強でとほうにくれている彼の顔が、今でも私の目にうかんでくる」と語っております。また体操では「軍人あがりの体操教師のかっこうななぶり物」だったともいいます（「中学生の頃」）。

中学の低学年のころは中の上くらいの成績をとっていました。四年、五年のころになると、上級学校への進学が望めないこともあり、自分の好きなことばかりに熱中して、学校の勉強はほとんどしなくなったといいます。卒業時の席次は八十八人中の六十番でした。

宮沢賢治は三十七年というそれほど長くはない人生のなかで、なんども人生の大きな岐路《きろ》に立たされました。右に行くか左に行くかによって、その後の人生の風景がガラリと大きく変わるような、重要で、大きな分岐点です。その最初にしてもっとも重大な意味をもつ選択が、この中学校を卒業した年になされました。

岩手病院への入院

三月に中学を卒業すると、四月に盛岡市の岩手病院に入院し、肥厚性鼻炎《ひこうせいびえん》の手術を受けました。一月ころから咽喉《のど》を痛め、卒業後すぐに手術を受けたのですが、手術後に高熱をだし、チブスの疑いがもたれました。十日の予定だったのが、五月中旬過ぎまで三十日余の入院となってしまいました。

この入院の期間に多くの短歌を作っております。賢治が短歌を作り出したのは一九一一(明治四十四)年、十五歳ころからといわれております。その前年の一九一〇年十二月に、盛岡中学校の先輩になる石川啄木《いしかわたくぼく》が歌集『一握《いちあく》の砂』を刊行したことに刺激されてのことでした。

啄木は三行書きという特異な形式によって、生活に密着した人生の哀しみや美しさを歌い、近代短歌に新風を吹き込みました。賢治もその影響を受けて、生前はほとんどが未発表のままでしたが、三行書きや四行、五行書きなどの短歌を作っています。

それらは妹のトシが清書した「歌稿A」と、それをもとに賢治自身が若干《じゃっかん》手直しして清書した「歌稿B」として残されています。ここでは基本的に「歌稿B」から引用し、「歌稿B」で削られた歌は「歌稿A」から引用して、(A)と示しておきます。

検温器の
青びかりの水銀
はてもなくのぼり行くとき
目をつむれり　われ

紺《こん》いろの
地平線さへ

浮びくる
やまひの
熱の
かなしからずや

目をつぶりチブスの菌と戦へるわがけなげなる細胞をおもふ（A）

最近の検温器はデジタル方式のものが一般的ですが、昔の体温計は目盛《めもり》が記された細いガラス管のなかの水銀の上昇によって測りました。それが果てもなく上昇していく高熱を発し、思わず目をつぶってしまう不安。熱で地平線さえ浮かびあがり、身体の内部でさかんに菌と戦う細胞にさえ意識を集中させる神経の高ぶり。そんな緊迫《きんぱく》した心の断片が表現されています。

賢治はのちに刊行した『春と修羅《しゅら》』を詩集といわずに「心象《しんしょう》スケッチ」と呼びましたが、この特異な表現と形式で詠《よ》まれた賢治の短歌も、また一種の心象スケッチでした。歌の裏にある事情が分からないと、意味が取りにくく難解なものが少なくありません。

賢治は中学二年のとき、入学時に最初に寄宿舎で同室となった親友の藤原健次郎《ふじわらけんじろう》をチブスで失っております。藤原は野球部員で体が大きく、「大仏さん」のニックネームをもっていましたが、賢治は彼の家へ遊びにいったり、一緒に南昌山《なんしょうざん》へ水晶をとりにいったりしました。その友人が二年生の夏休み明けにチブスであっけなく亡くなってしまったのです。

賢治はその死によほどショックを受けたようです。初期の童話作品「谷」「二人の役人」「鳥をとるやなぎ」には、語り手「私」の親友に藤原慶次郎なる村の子どもが登場しますが、その名前には親友の藤原健次郎への追慕《ついぼ》の思いが込められていました。

のちに賢治自身が高熱を発し、チブスの疑いをかけられたとき、藤原健次郎のことを思い起こしたとしても不思議ではないでしょう。ひょっとすると自分も命の危険にさらされるかもしれないという恐怖感も抱《いだ》いたことでしょう。

また入院一年前の中学四年生の一九一二年四月には、タイタニック号の沈没という惨劇が起きて、日本のメディアでも大きく報じられました。賢治の代表作「銀河鉄道の夜」のなかではこれが大きな比重で扱われています。敏感な感受性をもった思春期の賢治には、親友の突然の死とこのタイタニック号事件とは、生と死の境界を分かつものが何であり、生と死がどのように決せられるのかということを考える大きな契機《けいき》になったと思われます。

しかし、賢治を不安に駆りたてるものは、病気に対する恐ればかりではありませんでした。この時期の賢治には将来への大きな不安と迷いがあり、それにどのように対処すればいいのかさっぱり見当もつかないという状況にありました。

将来への不安

賢治は六歳のときに赤痢《せきり》にかかって隔離病舎《かくりびょうしゃ》に入院しましたが、看病してくれた父も感染し、以後父は胃腸が弱くなったといいます。岩手病院への入院のときも父が看病したのですが、父も発熱して賢治と枕を並べて一ヶ月ほど入院しました。そんなことで賢治は父へ負い目を感じつづけたといいますが、進学や家業など、将来の方針に関しては対立せざるをえませんでした。

粘膜《ねんまく》の
赤きぼろきれ
のどにぶらさがれり
かなしきいさかひを
父とまたする。

咽喉《のど》を赤いぼろきれでふさがれたような症状の入院中でさえ、父と繰り返し口論をしたようです。中学を卒業しても上級学校への進学が許されないのは分かっていたのですが、退院してから間もない時期にこんな歌を詠んでいます。

学校の
志望はすてん
木々のみどり
弱きまなこにしみるころかな。

友だちの
入学試験ちかからん
われはやみたれば
小き百合《ゆり》堀る。

このころ高等学校の入学試験は七月におこなわれました。三月の中学卒業からそれまで受験勉強ということになります。木々が芽吹《めぶ》いて若葉の季節になって、友人たちは受験勉強に余念もありません。が、賢治はようやく退院しても、ゆり根を掘りに行くくらいで、将来に向かって何も積極的な目標をもつこともできません。

はじめの歌は初稿では「志望はすてぬ」とあり、のちに推敲《すいこう》して「すてん」と書き換えられます。「ぬ」は完了の助動詞の終止形で、「捨ててしまった」ということになります。後者は「捨ててしまおう」という意思の表明になりますが、こうした推敲にも当時の賢治の進学に対して揺れる気持ちが反映しております。受験勉強する友だちの姿を見ては、賢治自身も心穏やかではなかったでしょう。
やがて同級生の親友だった阿部孝、沢田藤一郎、金田一他人《きんだいちたびと》は第一高等学校（現在の東京大学教養課程）へ、村井久太郎、佐藤金治は早稲田《わせだ》に進学し、東京へ旅立ちました。将来への見通しも立たない賢治は、いっそう焦燥感《しょうそうかん》にかられたに間違いありません。

「Erste Liebe」（初恋）

岩手病院に入院中に、賢治は初恋を体験しました。初恋といっても、自己の思いを相手に伝えることもないままのまったくの片恋でした。

十秒の碧《あお》きひかりの去りたれば
かなしく
われはまた窓に向く。

すこやかに
うるはしきひとよ
病みはてゝ
わが目、黄いろに狐《きつね》ならずや
まことかの鸚鵡《おうむ》のごとく息かすかに
看護婦たちはねむりけるかな。

毎朝、看護婦が検温のために現れるのを、「十秒の碧きひかり」と表現しているのですが、健《すこ》やかで、麗《うるわ》しい、「かの鸚鵡のごと」き看護婦に恋心を抱いたわけです。病室から看護婦たちの宿舎を見ることもできたようですが、のちに賢治自身ノートにこのときのことを「Erste Liebe」(ドイツ語で「初恋」)と記したように、これは賢治の初恋でした。

またノートには「かの人　もし　思はざらば我も苦しくはあらざらんを」と記されたように、退院後もこの看護婦にこがれて、狂おしいばかりの恋しさに懊悩《おうのう》したようです。次のよ

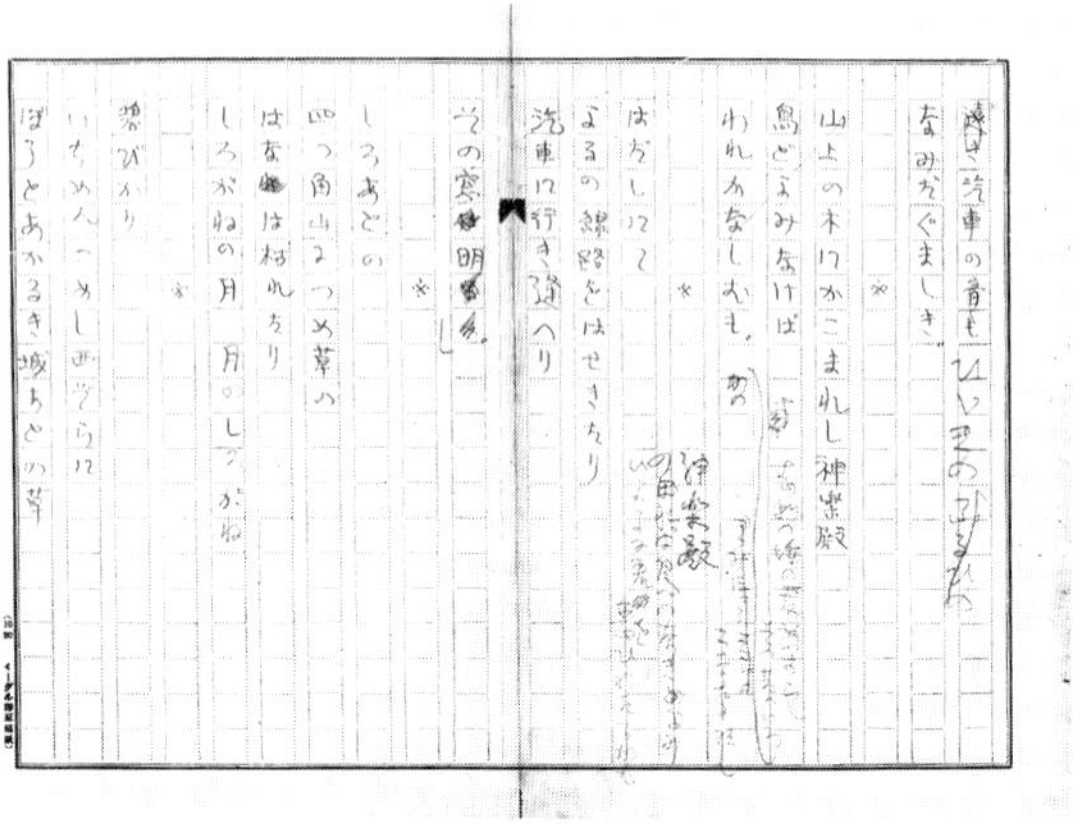

賢治の自筆歌稿　「神楽殿…」「はだしにて…」の歌が中央に見える（宮沢賢治記念館所蔵．花巻市博物館発行『胡四王山の世界』より）

うな歌からも、その一端をかいま見ることが
ことができます。

君がかた
見んとて立ちぬこの高地
雲のたちまひ　雨とならしを。

神楽殿《かぐらでん》
のぼれば鳥のなきどよみ
いよよに君を
恋ひわたるかも

はだしにて
よるの線路をはせきたり

汽車に行き逢へり
その窓明《あか》し。

退院後の賢治は、家業の店番や母の養蚕《ようさん》の手伝いなどをしていましたが、質草《しちぐさ》（金を貸す代わりに担保とする物品）もとらずに金を貸したり、帳面にもつけなかったりしたこともあったといいます。看護婦恋しさに彼女の出身地である日詰《ひづめ》や病院のある盛岡方面をのぞむことのできる高地にのぼったり、盛岡方面に行く汽車に行き逢うために線路を裸足《はだし》で走ったりなど、取り乱した行動にでることもあったようです。

晩年に賢治は、自己の生涯をかえりみながら文語詩を詠んでおりますが、そのなかの一篇「公子《こうし》」下書稿《したがきこう》一には、みずから冷静に当時の初恋を振り返り、次のように詠んでおります。

桐の木に青き花咲き
雲はいま　夏型をなす

熱疾《や》みし身はあたらしく
きみを〔お〕もふこころはくるし

父母のゆるさぬもゆゑ
きみわれと　年も同じく
ともに尚《なお》　はたちにみたず
われはなほ　なすこと多く
きみが辺《へ》は　八雲《やくも》のかなた

わが父は　わが病《やまい》ごと
二たびの　いたつき〔病気〕を得ぬ
火のごとくきみをおもへど
わが父にそむきかねたり

はるばるときみをのぞめば
桐の花　むらさきに燃え
夏の雲　遠くながるゝ

ここに賢治のもっとも正直な気持ちが表現されていると思います。もしこのときにこの恋がかなって、親に許されてふたりが結婚したとしたならば、賢治の生涯《しょうがい》は、今日わたしたちが知っているのとはまったく別のものとなっていたでしょう。人生とはまったく不思議なものです。

苦悩の日々と奇蹟

進学はかなわず、家業を継ぐことにも納得がゆかず、初恋もままならないとしては、賢治としても鬱々《うつうつ》とした日々を送らざるをえません。こうした行き詰まりの閉塞状況《へいそくじょうきょう》を自分の力で打開しようとしても、いまだ力不足で何ひとつ動かすこともできません。

若いときには、多かれ少なかれこれに類した状況を誰もが経験することでしょう。大きな仕事を成《な》し遂《と》げた作家たちの人生を観察するに、こうした困難な状況もそのときどきにさまざまな意味合いをもちますが、必ずそこから得た経験を自分の仕事にとってプラスへと転換しております。

賢治もまたこの十七歳の多感な時期に、絶望的な苦悩の日々を過ごさなければなりませんでした。大きく成長するための試練だったともいえるでしょうが、その苦難が大きければ大きいほど、それを乗り越えた先にある光明《こうみょう》は輝かしいものとなります。

わがあたまときどきわれにきちがひのつめたき天を見することあり(A)

なにのために
ものをくふらん
そらは熱病
馬はほふられわれは脳病

将来への見通しをまったく描けない不安な状況のなかで、賢治はこうした狂気さえはらんだような、暗くやるせない毎日を送っていました。あるいは「岩つばめ／むくろ〔死骸〕につどひ啼《な》くらんか／大岩壁を／わが落ち行かば。」「よごれたる陶器の壺《つぼ》に地もわれもやがて盛られん入梅《にゅうばい》ちかし（Ａ）」といったように、自己の死を幻視《げんし》しながら、自殺への願望もほのめかしています。

ぼんやりと脳もからだも
うす白く
消え行くことの近くあるらし。

目は紅《あか》く
関折〔節〕多き動物が
藻《も》のごとく群れて脳をはねあるく。

ぎりぎりのところまで神経が衰弱《すいじゃく》しきった、もう立派なノイローゼ状態です。毎日こんな息子の姿を見ていては、父としても妥協《だきょう》せざるをえなかったのでしょう。将来、賢治に果樹園の経営でもさせるつもりもあったようですが、父は賢治の希望した盛岡高等農林学校の受験を許したのでした。

秋から受験に向けての猛勉強に励み、翌年三月には入学試験を受けて、四月には首席入学を果たしました。「南天の／蝎《さそり》よもしなれ　魔ものならば／のちに血はとれまづ力欲し。」といった歌も詠んでいます。サソリ座の赤く輝く一等星アンタレスに、「魔もの」のように、のちに血を吸い取るとしてもまずは自分に力を貸して欲しいと祈っているのです。まさに奇《き》蹟《せき》が起こって新たに人生の二ページ目がはじまります。

「ガドルフの百合」

一九一四年に直面した危機は、外形的には父からの高等農林学校の受験の許可というかたちで一応の解決をみました。が、賢治の初恋は内面的にどのように処理されたのでしょうか。この年の夏に詠まれた一連の「白百合《しらゆり》」の歌がありますが、それらがこの問題と深くかかわっていると思われます。

いなびかり
そらに漲《みな》ぎり
むらさきの
ひかりのうちに家は立ちたり。

いなびかり
またむらさきにひらめけば
わが白百合は
思ひきり咲けり。

この一連の歌のモチーフは、のちに「ガドルフの百合」と題した作品にそのまま受け継がれます。

主人公のガドルフは旅人ですが、次の町が見える前に、空はにわかに曇《くも》って激しい雷雨となってしまいます。真っ暗となり、稲光《いなびかり》の明かりのなか、道の左側に「巨《おお》きなまっ黒な家」が建っているのが見えました。ガドルフはその家にかけ込みましたが、誰もいません。

ガドルフは「ここは何かの寄宿舎か。そうでなければ避病院《ひびょういん》か。とにかく二階にどうもまだ誰か残っているようだ」と思い、二階にあがろうと階段に足をかけたとき、「紫いろの電光」が差し込んで、窓の外に何か白いものが見えました。それは十本の「いっぱいに咲いた白百合」で、ガドルフは「おれの恋は、いまあの百合の花なのだ」と思います。

次の電光に「いちばん丈《たけ》の高い花」の幹が折られ、「あまりの白い興奮に、とうとう自分を傷つけて、きらきら顫《ふる》うしのぶぐさの上に、だまって横《よこた》わるのを見た」のです。ガドルフは部屋の一隅にうずくまり、「あの百合は折れたのだ。おれの恋は砕けたのだ」と思い、いつかとろとろと睡《ねむ》ってしまいます。

すると突然、ふたりの大きな男が激しく格闘する音が聞こえました。見れば、「一人は闇の中に、ありありとうかぶ豹《ひょう》の毛皮のだぶだぶの着物をつけ、一人は鳥の王のように、まっ黒くなめらかによそおって」います。そのふたりは青く光る坂の上で争っており、その坂の下でそれを見上げている自分のすがたも見えました。ふたりは大きな音を立て、引っ組んだまま坂をころげ落ち、ガドルフにつきあたりました。

そこでガドルフは眼を開きましたが、ちょうどいま雷が落ちたらしく、雨はやみ電光ばかりが空をわたって、「只《ただ》一本を除いて、嵐に勝ちほこった百合の群《むれ》を、まっ白に照らしました」。窓の外の一本の木の雫《しずく》には、「南の蝎《さそり》の赤い光がうつっ」ています。

ガドルフは、「雨さえ晴れたら出て行こう。街道の星あかりの中だ。次の町だってじきだろう。けれどもぬれた着物を又《また》引っかけて歩き出すのはずいぶんいやだ。いやだけれども仕方ない。おれの百合は勝ったのだ」と考えます。

賢治は、生前に刊行したただ一冊の童話集、『注文の多い料理店』の広告文を自分で書いていますが、そのなかで、ここに収めた童話は「実に作者の心象スケッチの一部である」といっています。童話とも散文詩ともつかないような、この「ガドルフの百合」もいってみれば初恋の挫《ざ》折《せつ》から立ち直ろうとしていた賢治の心象スケッチだったといえるでしょう。

アドレッセンス中葉の文学

『注文の多い料理店』の広告文では、これらの童話が「少年少女期の終り頃から、アドレッセンス中葉《ちゅうよう》に対する一つの文学としての形式をとっている」といっています。まさに宮沢賢治の文学は、子ども期から大人の世界へ移行しようとする十五歳ころから十七、八歳くらいまでを対象としたアドレッセンス（思春期）中ごろの文学であり、この時期の主人公たちの心象をヴィヴィッドに描いています。

アドレッセンス期の特徴は、まず一義的な価値観によってものごとを処理しえないことにあります。現実世界の多くは大人の論理によって構築され、子どもがそれに刃向かってもちょっとやそこらではビクともしない堅固なものです。が、その現実を生きる大人のものの見方や考え方はしばしば硬直化し、その制度は固定化しています。それらを再び活性化させるためには、子どものもつような柔らかな感性を必要とします。

近代というひとつの時代が終わり、何やら分からない新しい時代につき進もうとしている二十一世紀の今日も、賢治の文学が変わらず求められる理由もここにあります。「ガドルフの百合」も硬直した大人の感性では、何を描いたものか理解に苦しむかもしれません。しかし、アドレッセンス期の柔軟《じゅうなん》な感性をもって読めば、どうでしょうか。

高等農林学校時代に親しい友人たちと刊行した同人雑誌「アザリア」第一号（一九一七年七月）に、賢治は「〔旅人のはなし」から」という文章を載せています。長いあいだ旅をしている旅人の話を読んだという体裁《ていさい》になっており、「この多感な旅人は旅の間に沢山《たくさん》の恋を致しました、女をも男をも、あるときは木を恋したり」もしたといいます。

この旅人は実は王子なのですが、城に帰りついて王様に抱きつかれてもまだ旅をつづけます。「ガドルフの百合」も、冒頭から「みじめな旅のガドルフ」が描かれますが、この世に生きることは旅することに似ています。人生の旅の途上ではさまざまな恋や、激しい感情を抱くこともあるでしょう。

冒頭のガドルフの激しい雷雨との遭遇《そうぐう》は、中学校を卒業していきなり実世界に放り出された賢治の姿でもあったでしょう。駆け込む大きなまっ黒な家は、のちに語られるように「寄宿舎」か（盛岡中学校の校舎は「白亜城《はくあじょう》」と称されたのに対して、寄宿舎は「黒壁城《こくへきじょう》」と呼ばれたといいます)、親切な看護婦によって庇護《ひご》された「避病院」を表象します。

ひときわ丈たかく美しい白百合は、賢治の恋した看護婦です。が、この恋も天上界の激しい騒ぎに巻きこまれ(賢治にはそうとしか思われなかったのでしょう)、しのぶ草のなかにへし折られてしまったのです。つまり、忍ぶ恋として堪《た》えねばならなかったということでしょう。

しかし、あとの百合は嵐に勝ちほこったようにまっ白に照らされ、「南の蝎の赤い光」(賢治の好きだったサソリ座のアンタレスです)も受けます。ガドルフは個人的な感情を乗り越え克服して、「おれの百合は勝ったのだ」と考えます。「寄宿舎」や「避病院」を一時的な感情の待避所にしても、雨が止《や》んだら、ぬれた着物はいやですけれど、またそれを着て仕方なく次の町まで歩き出します。新たな人生に向かっての出発です。

のちに自己の理想を端的に記した「農民芸術概論綱要《がいろんこうよう》」に、賢治は「世界がぜんたい幸福にならないうちは個人の幸福はあり得ない」と記します。「ガドルフの百合」は、いってみれば個的な欲望を抑制し、人類全体の幸福を希求する方向へむかう、賢治文学のどうしても通らなければならなかった重要な通過点だったのではないでしょうか。

法華経との出会い

中学を卒業した一九一四年に賢治は、もうひとつ決定的な経験をします。それは十八歳の誕生日を迎えた以後の秋のことでしたが、島地《しまじ》大等《たいとう》編『漢和対照　妙法蓮華経《みょうほうれんげきょう》』を読んで、異常な感動を覚えたことです。

宮沢家はみな熱心な仏教徒でしたが、賢治も幼いときから宗教的な雰囲気のなかで育ちました。ことに父は浄土真宗《じょうどしんしゅう》に帰依《きえ》し、毎年夏には東京から宗教学者を招いて、花巻の大沢温泉で講習会を開催しておりました。小学生のときから賢治も参加し、一九一一年に島地大等が講師となったときも参加し、その法話を聞いたようです。

島地大等は盛岡の願教寺《がんきょうじ》住職で、のちに東京帝国大学の講師にもなった学識豊かな浄土真宗の僧侶《そうりょ》でしたが、賢治はそれ以降たびたびその講話を聞いています。一九一四年八月に、島地大等により漢訳と和訳とを対比させた『漢和対照　妙法蓮華経』が明治書院から刊行されると、父の法友の髙橋勘太郎《たかはしかんたろう》から贈られました。賢治はさっそくそれを読んだのです。

のちに賢治は、田中智学《たなかちがく》によって創設された国柱会《こくちゅうかい》という、日蓮《にちれん》の法華経《ほけきょう》をもっとも重要な思想とする宗教団体に入会します。浄土真宗の父にも賢治は法華経への改宗を申し入れましたが、父は聞き入れずに、ふたりは激しく口論するようになりました。父との信仰上の対立は賢治の死までつづいたといいます。

賢治は法華経の何にそれほど惹《ひ》かれたのでしょうか。賢治は「如来寿量品《にょらいじゅりょうほん》第十六」を読んで、身ぶるいがとまらないほどの感動を受けたといいます。ここには如来(仏の尊称)の寿命が無量(はかり知れず、永遠であること)ということが説かれていますが、そのことが「良医《ろうい》病子《びょうし》」の喩《たと》えをもって語られます。

法華経では法華《ほっけ》七喩《しちゆ》といって、仏の道を説くのに七つの喩えが用いられています。そのなかでもっとも有名なものは「火宅《かたく》」で、煩悩《ぼんのう》にさいなまれる姿を、火が出た家に喩えております(「譬喩品《ひゆほん》第三」)。「良医病子」というのは良医である父が、毒にあたったわが子を救うという話です。

非常に優れた良医があり、よその国へ行っているあいだに、その子どもたちが毒物にあたり、苦しんでいるときに帰ってきます。良医の父は、素晴らしくよく効く薬を用意して、子どもたちのなかの「心を失わざる」子たちに飲ませると、すぐに治りました。が、別の「心を失える」子は、毒があまりに深く入ったゆえに、この良き薬を「美《よ》からず」といって、服しません。父は、この子らは毒にあてられて、心が「顚倒《てんとう》」してしまったのだと思い、「方便《ほうべん》」を設けて、薬を飲ませようとします。「方便」とは、「ウソも方便」の方便で、衆生《しゅじょう》を教え導くための巧妙な手段のことです。父は、自分はもう老い衰《おとろ》え、死ぬときがやってきた、良薬をここに置いてゆくので、これを飲みなさいといって、また他国へ行きます。

その後使者を遣《つか》わせて、父は死んだといわせると、薬を飲まなかった子たちは自分がもはや頼るものもないことを知って、悲しみにくれ、遂《つい》に心が目ざめます。そして、その薬を飲むとたちまちに治ってしまい、父はその報告を聞いて、また帰ってきたといいます。

仏はこの話を聞いて、自分もその良医と同じである、といいます。衆生を救済するために、方便として涅槃《ねはん》(釈迦の死)するけれども、実際には滅度《めつど》(死ぬこと)することもなく、つねにこの世に住して法を説いています。「医の善《よ》き方便をもって　狂子を治《ぢ》せんが為《ため》の故《ゆえ》に　実《じつ》には在《あ》れども而《しか》も死《し》すと言う」というこの良医の「方便」も、「虚妄」を説いているわけではないのだ、といったといいます。

賢治は宗旨のことで父と激しく対立はしました。十八歳の秋に『漢和対照　妙法蓮華経』をはじめて読んだわけですが、同じ年の春にはチブスの疑いをかけられた自分を、父は献身的に看病してくれ、みずからも高熱を発して入院していたのです。賢治はそうした父へ、言葉ではあらわせないほどの深い感謝を抱いたと思われます。「如来寿量品第十六」に説かれた「良医病子」のエピソードは、そうした賢治にいっそう身に沁《し》みて感じられたでしょう。

まことのみんなの幸のために

この「良医病子」の喩えから、賢治が死の間際《まぎわ》まで手を入れつづけた「銀河鉄道の夜」の、「僕はもうあのさそりのようにほんとうにみんなの幸《さいわい》のためならば僕のからだなんか百ぺん灼《や》いてもかまわない」という、ジョバンニの言葉も思い起こされます。つまり、衆生を救済する「みんなの幸のためならば」、いくらでも方便としての「死」(涅槃)もいとわないというのです。

「あのさそりのように」とは、タイタニック号で犠牲《ぎせい》となり、同じ列車に乗り合わせた女の子が語った話です。小さな虫を殺して食べていたサソリが、今度は自分がイタチに食べられそうになると逃げて井戸に落ちてしまいます。そこから出られなくなったサソリは、「どうしてわたしはわたしのからだをだまっていたちに呉《く》れてやらなかったろう。そしたらいたちも一日生きのびたろうに」と思います。

そして「どうか神さま。私の心をごらん下さい。こんなにむなしく命をすてずどうかこの次にはまことのみんなの幸のために私のからだをおつかい下さい」と祈ると、サソリのからだがまっ赤な火に燃えて夜の闇を照らしだしたといいます。ということは、サソリは、「ガドルフの百合」の末尾でガドルフを導く「南の蝎の赤い光」と同じ、サソリ座のアンタレスとなったわけです。賢治文学に特徴的な自己犠牲のモチーフも、この法華経に大きな影響を受けていることが分かります。

賢治は高等農林学校を卒業後も、中学卒業時と同じように自分の前途に迷い、大きな不安を抱きながら試行錯誤《しこうさくご》をつづけるような人生を歩みました。稗貫郡《ひえぬきぐん》立稗貫農学校の教諭《きょうゆ》といった職を得ても、長くそうした安定的な職にとどまらず、自己の理想を求めて悪戦苦闘しました。最期《さいご》までアドレッセンス期の感性をもちつづけ、なかなか大人の世界にはなじめなかったのだと思います。賢治文学の特色は十七歳の選択にすべてあらわれているといえます。

中学を卒業した年の一年は、賢治文学の実質的な出発点だったのです。

第三章 芥川龍之介

「己《おれ》と一緒に
大きな世界へ来るがいい」

【芥川《あくたがわ》龍之介《りゅうのすけ》】

一八九二―一九二七年(明治二五―昭和二)。東京生まれ。生後間もなく母が精神を病み、母の実兄の養子として育てられる。府立第三中学校、第一高等学校を経て、東京帝国大学英文科を卒業。在学中に久米正雄《くめまさお》、菊池寛《きくちかん》たちと、同人雑誌の第三次・第四次「新思潮」に参加。一九一五年に「羅生門《らしょうもん》」を、翌年に「鼻」を発表。「鼻」が夏目漱石《なつめそうせき》に激賞されて文壇にデビューし、「芋粥《いもがゆ》」「手巾《ハンケチ》」などで新進作家としての地位を確立。「戯作三昧《げさくざんまい》」「地《じ》獄変《ごくへん》」「奉教人《ほうきょうにん》の死」「枯野抄《かれのしょう》」など、洗練された文体と理知的な作風をもつ芸術至上主義的な作品を次々と執筆。鈴木三重吉《すずきみえきち》のすすめで「蜘蛛《くも》の糸」「杜子春《とししゅん》」「魔術師」などの童話も書いた。一九二〇年の「秋」で作風の転換をはかり、「大導寺信輔《だいどうじしんすけ》の半生《はんせい》」「点鬼簿《てんきぼ》」「河童《かっぱ》」などを発表したが、「ぼんやりした不安」という言葉を残して三十五歳で自殺。没後に「歯車」「或阿呆《あるあほう》の一生」などが遺稿として発表された。

前ページの写真は高等学校入学の頃(日本近代文学館提供)

快活な中学時代

芥川龍之介は一九一〇（明治四十三）年二月に刊行された、東京府立第三中学校の校内雑誌、「学友会雑誌」第十五号に、「義仲論《よしなかろん》」という歴史についての論考を発表しております。芥川は一八九二年三月一日生まれですので、満十七歳十一ヶ月のことでした。

芥川は江東《こうとう》小学校高等科三年を修了してから、東京府立第三中学校（現在の東京都立両国高校）へ入学しています。当時は小学校高等科二年を終えると中学校を受験することができましたが、芥川は一年遅れて一九〇五年四月に入学しました。この「義仲論」が発表されたときは最終学年の五年生で、一ヶ月後の三月に十八歳の誕生日を迎えて中学校を卒業していきます。卒業成績の一番は西川英次郎《にしかわひでじろう》で、芥川は二番でしたが、「多年成績優秀者」として表彰されました。

西川と芥川のふたりは、九月に無試験で第一高等学校へ推薦《すいせん》入学しております。西川は東京帝大農学部を卒業して、鳥取大学や東北大学の教授を歴任しています。中学時代に芥川がもっとも親しく交際した友人で、「追憶《ついおく》」という作品で芥川は「僕はその後も秀才と呼ばれる何人かの人々に接して来た。が、僕を驚かせた最初の秀才は西川だった」といっております。

西川とはふたりで一緒に旅行したり、ロシアの作家ツルゲーネフの「猟人日記《りょうじんにっき》」、フランスの作家アナトール・フランスの「タイス」などの英訳を一緒に読んだりしました。西川は当時を回想して、次のように述べています。

同君とは割に親しくしていましたので二人連れで方々《ほうぼう》旅行しました。その時分の青梅線《おうめせん》の終点の日向和田《ひなたわだ》まで汽車で行き、それから奥多摩の山道を歩いて丹波山《タバヤマ》という村に一泊し、あくる日ひる弁当をこしらえて貰《もら》って甲府の方へ下りましたが、弁当つきの宿賃が三十五銭でありました。甲府からは昇仙峡《しょうせんきょう》の奥まで行き、一晩泊って引きかえし、信州の小諸《こもろ》へ出まして、案内者を雇《やと》い、浅間山《あさまやま》へ登って噴火口を覗《のぞ》きました。帰りは追分《おいわけ》に降り、軽井沢から汽車で帰京したわけです。(「回想」)

この旅行は一九〇八年の四年生のときに行われましたが、中学生にとってこれは、現在でも大旅行でしょう。芥川の甥《おい》の葛巻義敏《くずまきよしとし》が編集した『芥川龍之介未定稿集』には、「丹波山・上諏訪《かみすわ》・浅間行　明治四十一年夏休み「日誌」」と題された、一九〇八年の四年生の夏休みのときの日記が収録されており、この旅行の日程について芥川自身によっても細かに記述されております。

西川によれば十七歳の五年生の夏には、クラスの仲間と夕方の五時頃から夜通し歩いて新宿から高尾山《たかおざん》のひとつ先の御嶽《みたけ》の山上の宿まで、大声でしゃべったり歌を歌ったりの夜行をしたといっております。またこの夏には別のグループの友人たちと槍ヶ岳《やりがたけ》に登ってもいます。

中学一年のときに芥川を担任した英語教師だった広瀬雄《たけし》は、「三中に入ってからの芥川はどちらかと言えば如才《じょさい》のない方でクラスの者達にも憎まれるようなことはありませんでした。〔中略〕体が大変瘠《や》せていましたので当人も非常に健康ということに注意していましたし私も始終《しじゅう》気にかけていました」（「三中時代の芥川龍之介」）と証言しています。身体はそれほど丈夫《じょうぶ》ではなかったと思われますが、クラスの仲間たちときわめて快活な中学時代を過ごしていたようです。

中学時代の集大成――「義仲論」

後年、芥川は「小説を書き出したのは友人の煽動《せんどう》に負う所が多い」という文章で、「中学の五年の時に「義仲論」という論文を校友会雑誌に出した。これが一番始めに書いて出して見た文章であった」といいます。が、このときはまだ「作家」になる考えはなく、将来は「歴史家」になろうと思っていたといっています。

「義仲論」は発表の前年の秋に執筆されたのですが、四百字詰め原稿用紙にして九十枚の長大論文で、堂々とした和漢混淆文《わかんこんこうぶん》で書かれています。論の構成や展開にも乱れがなく、ややペダンティックな知識のひけらかしが目立ちますが、これが十七歳の中学生の書いた文章かと、あきれるばかりの秀才ぶりを示しています。

中学時代の芥川は英語と漢文を得意としていました。府立三中の国語漢文の教師で、芥川の学級主任であった岩垂憲徳《いわたれのりよし》は、中学時代の芥川を「性行の立派な模範生徒で、驚くばかりの秀才であった。／特に英語がよく出来、佶屈《きっくつ》な漢文にも興味を有《も》って、四学年の頃には、

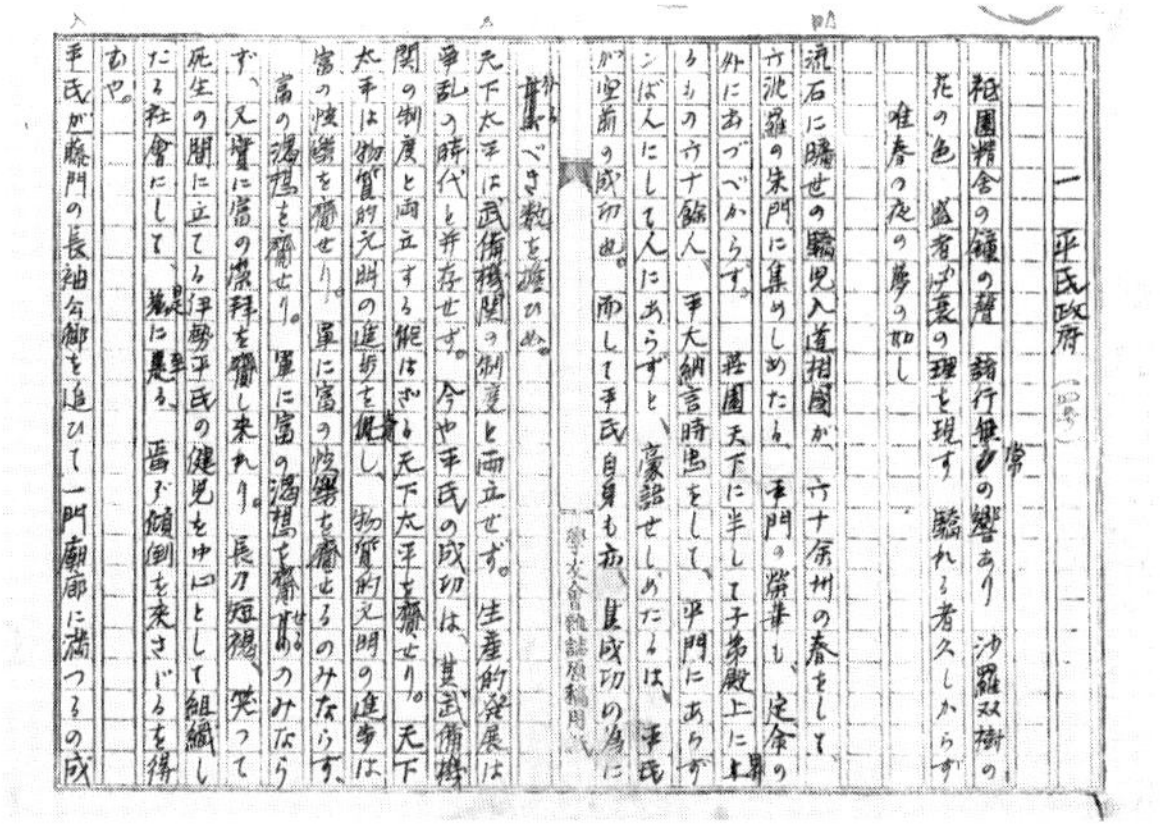
一 平氏政府

祇園精舎の鐘の聲 諸行無常の響あり 沙羅双樹の花の色 盛者必衰の理を現す 驕れる者久しからず 唯春の夜の夢の如し

流石に驕世の驕児入道相國が、六十余州の春をして六波羅の朱門に集めしめたる 平門の栄華も、定命の外にあづべからず。 花園天下に半して子弟殿上に上るものの六十餘人 平大納言時忠をして 平門にあらずンば人にしても人にあらずと 豪語せしめたるは 平氏が空前の成功也。 而して平氏自身も亦 其成功の為に亡ぶべき数を擁ひぬ。

天下太平は武備機関の制度と両立せず。 生産的発展は争乱の時代と并存せず。 今や平氏の成功は、其武備機関の制度と両立する能はざる天下太平を齎せり。 天下太平は物質的文明の進歩を促し、物質的文明の進歩は富の快楽を齎せり。 単に富の快楽を齎せるのみならず、富の満想を齎せり。 単に富の満想を齎せるのみならず、又実に富の崇拝を齎し来れり。 長刀短褐 突って死生の間に立てる伊勢平氏の健児を中心として組織したる社會にして 是に至る 豈に傾倒を来さゞるを得むや。

平氏が藤門の長袖公卿を追ひて一門廟廊に満つるの成

「義仲論」原稿冒頭（山梨県立文学館所蔵）

自分から進んで漢詩を勉強し、折々七言絶句など作って添削《てんさく》を乞《こ》われたこともあった」といいます（「芥川龍之介氏の中学生時代」）。

「義仲論」は、『平家物語』や『源平盛衰記《げんぺいじょうすいき》』などを読み込んで、木曽の義仲について縦横《じゅうおう》に論じたものです。論文中には西欧や中国の歴史と対比したり、中国古典からの故事をふまえた表現が多く用いられています。まさにこの論文は芥川が中学時代に学んだすべてのことが注ぎ込まれた、中学時代の集大成だったということができます。

源義仲《みなもとのよしなか》は、二歳の時に父義賢《よしかた》が戦いに負けて討たれたので、木曽の山中にかくまわれて育ちました。当時、「平家にあらずんば人にあらず」とまでいわれ、驕《おご》りたかぶった平氏一族が政権を握っておりましたが、平家打倒に伊豆では源頼朝《みなもとのよりとも》が挙兵し、木曽では義仲が兵を挙げました。義仲は破竹《はちく》の勢いで信濃、北陸を平定し、京都へ一番乗りを果たしました。が、平氏が西国へ逃げた京都で、義仲軍は食料の略奪《りゃくだつ》などの狼藉《ろうぜき》をはたらき、都の人々からは憎まれて、受け入れられませんでした。

また義仲自身、木曽の山間に育ち、世間のしきたりや礼儀というものを知らなかったので、伝統や格式を重んじる京都の宮中や貴族たちから粗野《そや》な人間と疎《うと》まれました。後白河法皇《ごしらかわほうおう》とも皇位継承をめぐって対立し、法皇は義仲より頼朝を信頼しました。義仲と頼朝は従兄弟《いとこ》ですが、ふたりの仲は決定的に決裂することになります。

追い詰められた義仲は、法皇の御所《ごしょ》である法住寺殿を襲撃し、後白河法皇を幽閉《ゆうへい》しました。頼朝は弟の範頼《のりより》、義経《よしつね》の軍を送って京都に迫ります。義仲は防備をかためようとしましたが、すでに京では人望を失って従う兵も少なく、近江《おうみ》の粟津《あわづ》での戦いで最期《さいご》をむかえました。

こうした義仲を芥川は、「革命の健児」「野生の児」「赤誠《せきせい》の人」「熱情の人」「自由の寵児《ちょうじ》」といった言葉をかさねて、あつく論じています。「彼は遂《つい》に時勢の児也《なり》。鬱勃《うつぼつ》たる革命的精神が、其《その》最も高潮《こうちょう》に達したる時代の大なる権化《ごんげ》也」と評し、自由奔放《じゆうほんぽう》に何にもとらわれることなく、木曽の野人《やじん》としてあるがままの自分を押しとおした生き方を、共感をもって描き出します。

判官贔屓《ほうがんびいき》という言葉があるように、源平合戦の武将のなかで、日本人には九郎判官《くろうほうがん》源義経の人気が圧倒的ですね。それが芥川は義仲への共感を示し、中学生ながら自分がもつ力のすべてを出して力作論文に仕上げております。いわばここに芥川の芥川たるゆえんがあるといえますが、義仲へのこれほどの肩入れの背後には何があるのでしょうか。

生い立ちと境遇

芥川の実父は新原敏三《にいはらとしぞう》といいます。現在の山口県の生まれで、鳥羽・伏見の戦いも体験し、幕末から明治維新の動乱期をたくましくくぐり抜け、芥川が生まれたときには東京・築地で耕牧舎《こうぼくしゃ》という牛乳販売店を営んでおりました。

耕牧舎の創業には渋沢栄一《しぶさわえいいち》もかかわっていました。やがて敏三は本店を芝区（現在の港区浜松町）に移し、新宿に八千坪もの広大な牧場も手に入れ、経営権も渋沢から譲り受けています。芥川は実父を「小さい成功者の一人」（「点鬼簿《てんきぼ》」）といっております。

　実母はフクといいます。フクの実家の芥川家は代々、江戸城で大名や旗本《はたもと》の世話をする御《お》奥坊主《おくぼうず》という役を勤めた家柄です。フクは、芥川の生後八ヶ月のとき突然に精神の不調をきたし、芥川を養育することがむずかしくなりました。

　それで芥川は、母の実家の芥川家で引き取ることになり、フクの兄芥川道章《どうしょう》、儔《とも》夫婦、また同居していたフクの姉フキによって養育されることになりました。養父の芥川道章は東京府の土木課に勤務し、退職後には小さな銀行を経営しましたが、失敗しました。浄瑠璃《じょうるり》の一《いっ》中節《ちゅうぶし》、囲碁《いご》、盆栽《ぼんさい》、俳句など、趣味の豊かな人だったようですが、退職官吏《かんり》としてつましく、年金生活を送っていました。

　おもに芥川の面倒を見、彼を教育をしたのは、生涯独身をとおした伯母《おば》のフキでした。芥川はこの伯母について、「家中で顔が一番私に似ているのもこの伯母なら、心もちの上で共通点の一番多いのもこの伯母です。伯母がいなかったら、今日のような私が出来たかどうかわかりません」（「文学好きの家庭から」）と語っています。

　実母のフクは、一九〇二（明治三十五）年十一月、芥川が満十歳のときに四十二歳で亡くなっています。芥川は自殺する十ヶ月前の一九二六年十月、「点鬼簿」という自伝的な作品を発表しています。そこで「僕の母は狂人だった。僕は一度も僕の母に母らしい親しみを感じたことはない」と告白しています。母は亡くなる前に正気に返ったようで、姉のヒサと芥川の顔を見て、「とめ度なしにぽろぽろ涙を落した」といいます。

実父の新原敏三は、幼い芥川にバナナ、アイスクリーム、パイナップル、ラム酒などの珍しいものを勧めて、養家から取り戻そうとしたといいます。あるときは「露骨《ろこつ》に実家へ逃げて来いと口説かれたこと」もあったといいます。が、「生憎《あいにく》その勧誘は一度も効《こう》を奏《そう》さなかった。それは僕が養家の父母を、——殊《こと》に伯母を愛していたからだった」(「点鬼簿」)といっております。

養子入籍

一九〇四年、芥川が十二歳のときに、親族会議がおこなわれて、敏三は芥川を手放すことを了承しました。敏三にはフクの妹フユとのあいだに次男の得二《とくじ》が生まれておりましたが、

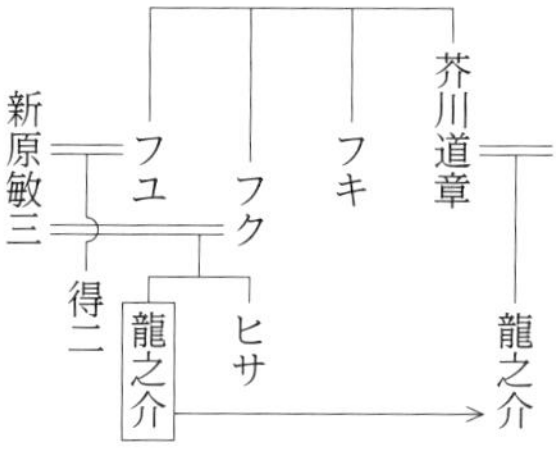

その得二を新原家の家督《かとく》相続人にし、フユをフクの後妻として入籍《にゅうせき》させるということが条件でした。芥川にとってフユは叔母であると同時に義母になり、得二は異母弟ということになります。

当時、生家の家督相続人が他家の養子になるためには、裁判所に家督相続人廃除《はいじょ》の請求をしなければなりませんでした。その裁判所の判決を経て、芥川は正式に養子縁組し、芥川家に入籍しております。裁判所の判決文には、道章に子のないこと、かねて芥川を引き取って養育してきたこと、「被告〔芥川龍之介のこと〕ト道章トノ間柄《あいだがら》ハ実親子ノ如《ごと》ク親密ニシテ道章ハ被告ヲ以《もっ》テ其《その》養子ト為《な》スコトヲ希望」していることなどがその事由としてあげられています。

芥川がいつごろから新原敏三を自分の実父と認識するようになったかは分かりません。しかし、思春期以降、実家と養家を意識し、実父母と養父母とを区別して認識しなければならなかったこと、養子縁組後も両家は親しく交際したものの、自分の親子関係がこうした裁判所の判決文によって決定づけられたことなど、その精神形成のうえに複雑で大きな影を落としたことは間違いありません。

芥川の文学には、どこか人間的な感情をストレートに表白する表現を抑制する力学がはたらいています。愛情といった、自然で原初的な感情の発露《はつろ》も素直に語られることは少なく、きわめて屈折《くっせつ》した表現をとることが多いのです。それにはこうした生い立ちが深く関係していたと思われます。

すると、「義仲論」に描かれた義仲像は、そうした芥川の対極に位置するものといえます。自己の欲望のままにふるまい、世間の習慣や儀礼を無視した野性のままの自由な行動は、芥川が望んでも得られなかったものです。

中学時代の勉学を集大成するものとして書かれた「義仲論」で、これまで意識下に抑圧しつづけてきた欲望が、義仲の像をかりて一気に吐き出されたようです。まるで火山の地下深くたくわえられたマグマが一気に噴出するようにです。「義仲論」に芥川が描いた義仲は、まさに子どものころから芥川が、無意識のうちにそうしたいと願っていた生き方だったでしょう。

しかし、「義仲論」はそんなふうに野性を称えながらも、十七歳の中学生らしい粗削《あらけず》りなところがみられません。あまりにも論が整然とととのい、文章にも乱れがないのです。論文そのものから野性味を感じとることはむずかしく、かえって理知的な秀才ぶりのみが際だつものとなっています。

大川のほとり

芥川は生後八ヶ月で芥川家に引き取られてから、一九一〇年に十八歳で新宿へ転居するまで、大川(隅田川)のほとりの本所《ほんじょ》(現在の墨田区両国)に育ちました。芥川は自分が育ったころの本所について、「明治二三十年代の本所は今日のような工業地ではない。江戸二百年の文明に疲れた生活上の落伍者《らくごしゃ》が比較的多勢《おおぜい》住んでいた町である」(「本所両国」)と語っています。

そんな本所には江戸時代から言い伝えられた、本所七不思議と呼ばれる怪異譚《かいいたん》が残されています。堀で釣った魚を夕方に持ち帰ろうとすると、堀のなかから「置いてけ、置いてけ」と怪しい声がするという「置いてけ堀」。夜半に耳をすますと、遠く、あるいは近くでお囃《はや》子《し》が聞こえるが、さがしてもどこで奏でられているのか分からないという「馬鹿囃子《ばかばやし》(狸《たぬき》囃子）」、不思議なことに片側にしか葉がでない「片葉の芦《あし》」等々です。芥川の自伝的作品「追憶」には「七不思議」と題された項目が設けられ、次のように語られます。

その頃はどの家もランプだった。従ってどの町も薄暗かった。こう云《い》う町は明治とは云う条《じょう》、まだ「本所の七不思議」と全然縁のない訳《わけ》ではなかった。現に僕は夜学の帰りに元町通りを歩きながら、お竹倉（本所横網町《よこあみちょう》の俗称で、大溝《おおどぶ》にかこまれた雑木林《ぞうきばやし》や竹藪《たけやぶ》がうっそうと茂る一画《いっかく》だったが、明治の中ごろに両国停車場と陸軍被服廠《ひふくしょう》になった）の藪の向うに莫《ば》迦囃《かばや》しを聞いたのを覚えている。それは石原か横網かにお祭りのあった囃しだったかも知れない。しかし僕は二百年来の狸の莫迦囃しではないかと思い、一刻も早く家へ帰るようにせっせと足を早めたものだった。

おそらく、こうした少年時代の体験が、怪異譚や不思議な話への並々ならない関心を引きだしたのだと思われます。先にも触れた中学四年生の夏休みの日記である「丹波山・上諏訪・浅間行　明治四十一年夏休み「日誌」」の八月十一日に、上野の図書館へ行き、借りようと思っていた本がなかったので、「あきらめて、「聊斎志異《りょうさいしい》」をよむ。／余計な時間さえあれば、妖怪譚をよむのが自分の癖である」と記しています。

「聊斎志異」は、中国の清《しん》代の作家、蒲松齢《ほしょうれい》によって書かれた怪異小説集です。芥川はその「癖」が高じて、怪異談の収集に熱中し、やがて「椒図志異《しょうずしい》」なるノートの作成にまで発展します。家族や知人から聞いたり、読書によって知りえた怪異譚をあつめ、それらを「怪例及《および》妖異」、「魔魅《まみ》及天狗《てんぐ》」、「狐狸妖」、「河童《かっぱ》及河伯《かはく》」、「幽霊及怨念《おんねん》」、「呪咀《じゅそ》及奇病」に分類して、大学ノートへ清書しています。

「椒図」というのは、滝沢馬琴《たきざわばきん》の『南総里《なんそうさと》見《み》八犬伝《はっけんでん》』によると、黙することを好む龍だといいますが、この当時に芥川がみずから名告《なの》った号(ペンネーム)です。一高時代から大学時代にかけてまとめられたものといいますが、一九一二年八月二日付の、一高時代の友人藤岡《ふじおか》蔵六《ぞうろく》宛の書簡には、「Mysterious な話しを何でもいいから書いてくれ給《たま》え、文に短きなんて謙遜《けんそん》するのはよし給え／如例《れいのごとく》静平《せいへい》な生活をしている時に図書館へ行って怪異と云う標題《ひょうだい》の目録をさがしてくる」といっております。

芥川文学は、その根底において不思議や神秘に対する恐れや驚きに満ちているといえます。平穏な日常のなかにも、それを揺るがすような超自然や、私たちの生を脅《おびや》かす不合理で、理屈では割り切れないようなものを好んで描いています。出世作の「鼻」からして、あんなに大きく、異様な鼻の持ち主などこの世に存在しうるはずもありません。

いうまでもなく、不思議な怪異譚や神秘的な超自然の現象、不合理な世界などは無意識的なものと強く結び付いています。が、芥川はきわめて意識的で、生涯を通してつねに近代的な理知を尊重し、合理的な判断を重んじました。

みずからの芸術に対する考えを単刀直入に、ストレートに語り出した文章に一九一九年に書かれた「芸術その他」があります。そこで芥川は「芸術活動はどんな天才でも、意識的なものなのだ」と記します。一見、合理的な解釈を超えた不思議な世界を描くにしても、芥川は必ずあらゆる細部にいたるまで計算し尽くし、意識的に取りあつかっています。

大学時代に執筆された小品「大川の水」では、そのほとりで幼少期を過ごした墨田川へのかぎりない愛着を語っています。本所という江戸的なものを多分に残した地に育ち、七不思議などの怪異的な世界に馴染《なじ》みながら、近代的で鋭利《えいり》な意識をもって、そうした世界を巧《たく》みに描き切るところに芥川文学の魅力があります。しかし、無意識的なものを意識によって制《せい》御《ぎょ》することが次第にむずかしくなり、芥川の苦悩《くのう》はだんだん大きなものとなっていきます。

回覧雑誌時代

芥川は伯母フキからの教育もあって、幼いころから本に親しみました。「僕の家の本箱には草双紙《くさぞうし》が一ぱいつまっていた。僕はもの心のついた頃からこれ等《ら》の草双紙を愛していた。殊《こと》に「西遊記《さいゆうき》」を翻案《ほんあん》した「金比羅利生記《こんぴらりしょうき》」を愛していた」(「追憶」)といいます。「草双紙」とは江戸時代の中ごろから明治初期にはやった大衆向けの絵入りの読み物です。また他のところでは、子どものときの愛読書は「西遊記」と「水滸伝《すいこでん》」で、一時は「水滸伝」中の百八人の豪傑《ごうけつ》の名前をすべて暗記していたといっています(「愛読書の印象」)。

また「僻見《へきけん》」というエッセイでは、「僕に文芸を教えたものは大学でもなければ図書館でもない。正《まさ》にあの蕭条《しょうじょう》たる貸本屋である。僕は其処《そこ》に並んでいた本から、恐らくは一生受用しても尽きることを知らぬ教訓を学んだ」ともいっております。芥川は幼児期から読書に親しみ、本を読むスピードがとてもはやかったといいます。

　小学校のころから作文を得意として、小学校、中学時代に友人たちと回覧雑誌をつくって、さまざまな文章を書いています。回覧雑誌とは、仲間が集まり、それぞれ手書きの原稿を持ち寄って、それらを綴《と》じ合わせ、表紙と目次をつけて仲間うちで回覧して読むという形式の雑誌です。ですから、一部一冊で、それらの大半は残ることもありませんでした。

　が、芥川の場合、芥川を溺愛《できあい》した伯母フキによって、小学校時代の作文などと一緒に、それらも大切に保存されてきました。小学校時代には「日の出界」(四冊)、中学時代には「流星」「曙光《しょこう》」「木兎《みみずく》」「碧潮《へきちょう》」などの題をつけたものが残されており、冒険小説や未来記、歴史物や紀行文など、いろいろな文章が書かれております。

　現在、『芥川龍之介全集』には、「初期文章」としてそれらの文章のいくつかが収められています。この時期の芥川の文章は、いわゆる文語体の美文が主です。これらの回覧雑誌に多くの文章を寄せることで、文章修業をかさね、空想の世界に遊ぶことの楽しみを体験したのだと思います。

　芥川の文壇《ぶんだん》デビューは、大学一年生の一九一四(大正三)年二月、同人雑誌の第三次「新思潮」の創刊によってです。その創刊号に芥川は、フランスの作家アナトール・フランスの「バルタザアル」の翻訳を掲載しました。その内容は、エチオピア王のバルタザアルはシバの女王バルキスの妖《あや》しい魅力に囚《とら》われますが、それから脱してユダヤのベツレヘムに生まれる「人間に真理を教えようとする尊い小児」(キリスト)のもとへ向かうというものです。

比類のない力と素直な魂をもち、欲望のままに行動するバルタザアルは、どこか義仲に通じるところがあるようです。バルタザアルはいったんバルキスとの歓楽に溺れますが、バルキスから冷たい仕打ちを受けると、魔法師の賢人セムボビチスから学問を学ぶことにします。バルタザアルは魔法師の賢人に向かって、次のようにいいます。

> 天文を研究している間は、己《おれ》はバルキスの事も思わなければ、其《その》他の地上の塵事《じんじ》(世俗の煩《わずら》わしい事柄)をも忘れている。学問はよいものだ。学問は人間を考えさせずに置くものだ。セムボビチス、お前は己に知識を教えてくれるがよい。知識は人間の持っているすべての感情を破壊するものだ。

芥川は複雑な家族の対人関係のわずらわしさ、およびそこから起こるさまざまな感情の軋《あつ》轢《れき》を断ち切るために、バルタザアルと同じように学問、勉学に励んだのではないでしょうか。幼少時からの読書を通じて空想世界に遊ぶことの楽しみを知り、みずから文章を書くことに強いこだわりを示したことも、それとまったく無縁だったとも思われません。

生の孤独――「老狂人」

『芥川龍之介未定稿集』には、「義仲論」に前後した時期に書かれた「老狂人」「死相」といった習作が収められております。編者によれば、「老狂人」は「義仲論」よりやや早いかと推定されるものですが、ふたつの作品は十七歳前後の芥川の意識をうかがうにとても興味深いものです。

「老狂人」は、近所の豆腐屋《とうふや》の隠居《いんきょ》で、「私たちが秀《ひで》馬鹿とよンだ老狂人」を、「私」が幸さんという友人と一緒に覗《のぞ》き見したというエピソードを記したものです。老狂人は「もとは何百石《こく》とかの旗本」で、「切支丹《キリシタン》の信者」のうわさがありましたが、徳川幕府が瓦解《がかい》したあと、間もなくして気が違い、毎晩夕方になると泣いているといいます。

夏の夕方、「私」は幸さんのところに遊びに行き、幸さんの家と隣りあっている豆腐屋の家をすかし見ます。縁側の柱に寄りかかって両膝《りょうひざ》を抱きながら、頭をその間にうずめた老人が、たよりない、さびしい声で、「天にまします……さんたまりあ…… つみ人を……」ときれぎれに、祈禱《きとう》の言葉を低くつぶやいています。

その声がとぎれると、やるせない慟哭《どうこく》の声がさらに強く、かなしくひびきます。「私」には、この老人の口から「生の孤独を訴える声」がもれたように思われ、「あらゆる苦しみをわすれた、あらゆる楽しみをわすれた、唯《ただ》、奥ふかい、まことの「我」から起ってくる」慟哭の声のようにも聞こえるのでした。

幸さんと「私」は、「可笑《おか》しな奴だね」とくすくす笑いましたが、「今では、その「可笑しい奴」に、深い尊敬を感ぜずにはいられません」といいます。そして、「あの祈禱と慟哭、信徒を磔刑《たっけい》に処《しょ》したと云う、封建時代の教制に反抗した殉道《じゅんどう》の熱誠《ねっせい》、――私は、〔未《いま》〕だに、あの時老狂人に加え〔た〕嘲笑《ちょうしょう》を、心から恥じています」と結ばれます。

まだ作家になることを決意したわけでもない、十七歳の中学生が書いた未定稿の習作にすぎませんが、ここに芥川文学の基調を読み取ることも可能です。「生の孤独」を深くかみしめながら、存在しなければならない人間的哀しみ、狂気にいたるまで内にひめた激しい熱情、また自分がいつ母と同じように精神に異常をきたすとも分からないという恐怖感。芥川文学の低音部にはこうした基調旋律《せんりつ》がつねに鳴りひびいております。

そして一方で、そうした人生を冷徹に覗き見しているような傍観者風の、理知的で、意識的な文学姿勢。芥川は自分自身さえいつも客観視しているかのような態度をとりつづけ、生《なま》なかたちで自己の感情を読者にさらすことを嫌いました。まさにその後に展開される芥川文学を先取りしたかのような作品ということができます。

散りゆく花――「死相」

「死相」は、葛巻義敏によれば「老狂人」とほとんど同時期の文章で、それよりいくらか遅いかもしれず、「中学の最高年級から高等学校の初年級までのもの」とされます。「老狂人」と違って、きわめて象徴的な散文詩風に書かれています。

自分は「年をとった占者《うらない》」から、「眉《まゆ》の間に、曇《くも》りがあるわ。――若死の証拠よ」と告げられます。「何時《いつ》、死ぬのでしょう」と問うと、「日輪がの。――日のうちに、暮《くら》くなる日が来るのじゃ。――赤い日のおもてを、暗いかげが、蝕《は》む日よ。それを知らず、烏《からす》のむれが、輪をかいて鳴こう日よ。――その日には、向日葵《ひまわり》が散るがの。その花が散りつくすと、――やがて、若い命が亡《ほろ》ぶのじゃ」と知らされます。

庭に大きな向日葵の黄色い花が咲いています。それから毎日、「自分」は向日葵の根もとに水をやって、空の日を眺めます。そのうちに「ある日まっ赤な日が空のただ中へ来ると、暗い影が、その右の端にやどりはじめ」ました。

そうすると、黒い鳥が木の葉のふるように日のめぐりに集まって来て、向日葵は東から西へめぐるのをやめました。黄色い大きな花弁《はなびら》がぽたりと「自分」の胸のうえに落ちました。「一つ」と勘定《かんじょう》すると、またしばらくしてぽたりと黄色い花弁が散り、「二つ」と数えます。こうして、「空はだんだん暗くなる。――向日葵の真っ黄色な花は、絶えまなく散った。

――自分は死ななければ、ならない」と結ばれます。

太陽は東からのぼって西へしずみます。毎日毎日、その繰り返しです。私たちが生きるということも、それと似ています。朝起きて夜になると寝るという繰り返しが、私たちの毎日の日常です。太陽と一緒に東から西へめぐる向日葵と同じで、黄色い花弁をつけ、生気に満ち輝いているときこそ、私たちは生を実感することができます。

が、それも向日葵が大輪の花を輝かせることができる、ひと夏のはかなく、短い季節です。陽《ひ》がのぼって陽がしずみ、落下する花弁を「一つ」「二つ」と数えるところは、夏目漱石「夢十夜《ゆめじゅうや》」の第一夜を思い起こさせるかもしれません。

繰り返す日常の連鎖《れんさ》にどのような意味を見出すことができるのでしょうか。芥川はそのことにも懐疑的《かいぎてき》とならざるをえませんでした。中学時代の親友で、のちに芥川の妻となる塚本《つかもと》文《ふみ》の叔父にあたる、山本喜誉司《やまもときよじ》に宛てた一九一一年(年次推定)の手紙には、次のようにあります(『芥川龍之介全集』書簡番号73)。

しみじみ何のために生きているのかわからない。神も僕にはだんだんとうすくなる。種《しゅ》の為《ため》の生存、子孫をつくる為の生存、それが真理かもしれないとさえ思われる。外面の生活の欠陥《けっかん》を補ってゆく歓楽は此《この》苦しさをわすれさせるかもしれない、けれども空虚《くうきょ》な感じはどうしたって失《う》せなかろう。種の為の生存、かなしいひびきがつたわるじゃアないか。

窮極する所は死乎《か》、けれども僕にはどうもまだどうにかなりそうな気がする、死なずともすみそうな気がする。卑怯《ひきょう》だ、未練があるのだ、僕は死ねない理由もなく死ねない、家族の係累《けいるい》という錘《おもり》はさらにこの卑怯をつよくする、何度日記に「死」という字をかいて見たかしれないのに。

「死」との対話──「青年と死と」

一九一四年九月の「新思潮」に芥川は、「青年と死と」という戯曲《ぎきょく》を発表しています。あたかも山本喜誉司への手紙に記したことをそのまま作品化したようなもので、この時期の芥川の死についての考えがよくあらわされています。

男子禁制の後宮《こうきゅう》の妃《きさき》たちの多くが身重《みおも》になるという事件が起こります。忍んでくる男がいるのだが、声ばかりで姿が見えないといいます。青年A、青年Bというふたりの青年が、着ると姿が見えなくなるマントをつけ、忍び込んで快楽をむさぼっていたのですが、後宮では砂をまいてその足跡から犯人を探索しようとします。

その足跡から兵卒に追われることになったふたりの青年は、黒い覆面《ふくめん》をした男と出会います。男は「己《おれ》は死だ」と名乗ります。Aは「己はお前を待っていた。今こそお前の顔が見られるだろう。さあ己の命をとってくれ」といいます。

男はBに向かって、お前も待っていたかと問いかけます。Bは「己はお前なぞを待ってはいない。己は生きたいのだ。どうか己にもう少し生を味《あじ》わせてくれ。己はまだ若い」と懇願《こんがん》します。

すると男は「お前はすべての欺罔《ぎもう》〔あざむき、いつわること〕を破ろうとして快楽を求めながら、お前の求めた快楽其物《そのもの》が矢張《やはり》欺罔にすぎぬな」かった、と答えます。死を忘れるのは生を忘れることだといい、「生を忘れた者は亡びなければならない」と、Bに死を宣告します。

一方、男はAに「お前は己の顔をみたがっていたな」と問いかけ、よく見るがいいといいます。Aは「その顔がお前か？　己はお前の顔がそんなに美しいとは思わなかった」といって、「己は命を持っていても仕方ない人間だ。己の命をとってくれ。そして己の苦しみを助けてくれ」とたのみます。

するとと男は「莫迦《ばか》な事を云うな」と叱りつけ、「お前の命をたすけたのはお前が己を忘れなかったからだ。しかし己はすべてのお前の行為を是認《ぜにん》してはいない。〔中略〕是《これ》からも生きられるかどうかはお前の努力次第だ」とさとします。

そして、その男は静かに「夜明《よあけ》だ。己と一緒に大きな世界へ来るがいい」と告げます。黎《れい》明《めい》の光のなかを黒い覆面の男とAとは出て行きますが、そのあとに兵卒たちによってBの裸の死骸が引きずられてくるというところで幕になります。

この夢幻劇《むげんげき》めいた作品において、芥川は、死を通して真の生に目ざめる青年の姿を描いています。覆面の男は死をこばむBに向かって「己はすべてを亡ぼすものではない。すべてを生むものだ。お前はすべての母なる己を忘れていた」と語りますが、死はすべてを亡ぼすだけでなく、すべての生を生みだすものとも認識されているのです。

芥川が「義仲論」において義仲の死を描いて、「実に死して猶《なお》生けるもの」と語っていたのは、こうしたことと関連していたのでしょう。芥川は義仲について「彼の一生は短かけれども彼の教訓は長かりき。〔中略〕彼逝《ゆ》くと雖《いえど》も彼逝かず」と記しました。まさに「死」を内包した生こそ、失われない価値あるものを生みだすことが可能となるのです。

この「青年と死と」は、森鷗外《もりおうがい》訳のオーストリアの作家ホフマンスタールの戯曲「痴人《ちじん》と死と」からの影響をうけて執筆されたものです（小堀桂一郎《こぼりけいいちろう》『森鷗外の世界』）。たとえ模倣のあとが顕著《けんちょ》にみられる作品だったとしても、これは若き日の芥川が夭折《ようせつ》への恐怖に対して、みずから納得のゆくかたちで決着をつけたものといえます。

野性へのあこがれ

一九一六年二月、第四次「新思潮」の創刊号に発表した短篇「鼻」が夏目漱石から激賞されたことで、二十四歳の芥川は文壇の寵児として注目されるようになります。前年の十一月、「帝国文学」にすでに「羅生門《らしょうもん》」を発表していましたが、どちらの作品も『今昔物語集《こんじゃくものがたりしゅう》』から題材をとったものでした。

その後も芥川は、「芋粥《いもがゆ》」「偸盗《ちゅうとう》」「袈裟《けさ》と盛遠《もりとお》」「地獄変」「往生絵巻《おうじょうえまき》」「好色」「藪《やぶ》の中」

「六の宮の姫君」など、実に多く『今昔物語集』や『宇治拾遺物語《うじしゅういものがたり》』などの説話集に取材した作品を書きます。これは芥川文学の顕著な特色ともなっていますが、芥川はそこにどのような魅力を見出《みいだ》したのでしょうか。

亡くなる年の一九二七年に発表した「今昔物語鑑賞」という文章で、芥川は「「生《な》ま々《ま》しさ」は『今昔物語』の芸術的生命である」といって、次のように記しています。

この生ま々々しさは、本朝《ほんちょう》の部には一層野蛮《いっそうやばん》に輝いている。一層野蛮に?——僕はやっと『今昔物語』の本来の面目《めんもく》を発見した。『今昔物語』の芸術的生命は生ま々しさだけには終っていない。それは紅毛人《こうもうじん》〔欧米人のこと〕の言葉を借りれば、brutality（野性）の美しさである。或《あるい》は優美とか華奢《きゃしゃ》とかには最も縁の遠い美しさである。

芥川は、『今昔物語集』のなかの人物は「あらゆる伝説の中の人物のように複雑な心理の持ち主ではない。彼等《かれら》の心理は陰影《いんえい》に乏《とぼ》しい原色ばかり並べている」といいます。しかし、今日の自分たちの心理にも「如何《いか》に彼等の心理の中に響き合う色を持っている」か、銀座は京の都の朱雀大路《すざくおおじ》ではないが、「モダアン・ボオイやモダアン・ガアルも彼等の魂を覗いて見れば、退屈にもやはり『今昔物語』の中の青侍《あおざむらい》や青女房と同じ」であるといいます。すると、「野性の美しさに充ち満ちている」という『今昔物語集』に触発されて出発した芥川文学は、中学時代に書いた「義仲論」からまっすぐつながっているということになります。が、先にいったように、「義仲論」は義仲の野性を称えながら、論文そのものは野性的な荒々しさを欠いていました。ちょうどそれと同じことが、芥川文学の全体を通してもいえるのではないかと思います。

　充分に計算しつくされた短篇小説では、野性的なモチーフを使って見事な成功をおさめました。が、「偸盗」「邪宗門《じゃしゅうもん》」「素戔嗚尊《すさのおのみこと》」など、野性そのものを作品のなかに解き放って描き切らなければならない長篇小説の場合、必ずといっていいほどその試みは失敗しました。野性にあこがれながら、決して野性的に生きることのできなかった芥川が、宿命的に抱え込んだ問題ということができます。

　芥川は一九二七（昭和二）年七月二十四日、「将来に対する唯《ただ》ぼんやりした不安」（「或《ある》旧友へ送る手記」）という言葉を残して、三十五歳の若さで自殺しました。遺稿「或阿《あるあ》呆《ほう》の一生」の最後の章は「敗北」と題され、「彼は唯《ただ》薄暗い中にその日暮らしの生活をしていた。言わば刃《は》のこぼれてしまった、細い剣《つるぎ》を杖にしながら」と結ばれます。芥川はその最期にいたるまで「野性の美しさ」にあこがれながら、みずからは人生の戦いの場において「野蛮に」なることができない生涯を送ったのだといえるでしょう。

第四章
谷崎潤一郎

「諸君は何のために
学問を修めますか」

【谷崎潤一郎《たにざきじゅんいちろう》】

一八八六―一九六五年（明治一九―昭和四〇）。東京生まれ。府立第一中学校、第一高等学校を経て、東京帝国大学国文科中退。在学中の一九一〇年（明治四三）、小山内薫《おさないかおる》らと同人雑誌の第二次「新思潮」を創刊。「刺青《しせい》」「麒麟《きりん》」「少年」「秘密」などの強烈な色彩をもった耽美《たんび》的《てき》作品を次々に発表し、永井《ながい》荷風《かふう》に推奨されて華々しく文壇《ぶんだん》にデビューした。一九二三年の関東大震災をきっかけに関西へ移住。前期の作風の集大成となった「痴人《ちじん》の愛」を書いた後、関西の伝統文化に感化された「蓼喰《たでく》ふ虫」「吉野《よしの》葛《くず》」「盲目物語」「蘆刈《あしかり》」「春琴抄《しゅんきんしょう》」などの古典主義的な作品を執筆した。その背景には後に夫人となる根津《ねづ》松子《まつこ》との出会いがあり、その四人姉妹をモデルにした「細雪《ささめゆき》」は、崩壊する旧家の人間模様を華麗な風俗絵巻として描いている。第二次世界大戦後も「少将滋幹《しょうしょうしげもと》の母」「瘋癲《ふうてん》老人日記」など旺盛な創作力は衰えず、生涯に「源氏物語」を三度も現代語訳した。

前ページの写真は中学校の頃（日本近代文学館提供）

華やかな秀才

谷崎潤一郎は一八八六(明治十九)年七月二十四日に、東京日本橋区蠣殻町《かきがらちょう》(現在の中央区日本橋人形町一丁目)に生まれています。満十七歳の誕生日を迎えたのは一九〇三年のことで、このとき谷崎は東京府立第一中学校の四年生でした。第一高等学校への入学は、さらにそれから二年後のことです。

谷崎は自分の中学時代を題材に「神童」という小説を書いております。そんなところから谷崎には神童というイメージが定着しているようです。が、最短で高等学校に入学した学生から一年遅れていた芥川龍之介と比べても、このとき谷崎は二学年も遅れていたわけです。

しかも谷崎は前年にいわゆる飛び級をしております。中学二年生の一学期を終えて編入試験を受け、九月から三年の二学期のクラスに編入したのです。ですから、谷崎は最短で進学した学生からすれば、中学入学の時点では三年ほど遅れていたことになります。

飛び級して三年生になったとき、同級になった友人に辰野隆《たつのゆたか》がいます。東京駅を設計したことで知られる建築家の辰野金吾《きんご》の息子で、のちに東京帝国大学教授となったフランス文学研究の大家《たいか》です。辰野は一八八八年の早生まれですから、学齢的には谷崎よりなお一学年下ということになります。この時代の中学生は同学年でも年齢が一律ではなく、いろいろな年齢の学生が混在していたわけです。

その辰野が中学時代の谷崎についていろいろな証言をしています。「僕は小学から大学を卒《お》えるまで幾多《いくた》の秀才にも会ったが、凡《およ》そ中学時代の谷崎ほど華やかな秀才には未《いま》だ嘗《かつ》てお目にかかった事がない」(『谷崎潤一郎』)といっております。谷崎は府立一中の校内雑誌「学友会雑誌」に、一年生のとき「牧童」という漢詩を発表したのを皮切りに、毎号のように文章を寄せています。

辰野はそれらの文章を紹介しながら、その華々しかった秀才ぶりに感嘆しているのですが、当時、府立一中には異色ある秀才が三人いたといいます。「五年生市河三喜《いちかわさんき》の語学、四年生竹内端三《たけのうちたんぞう》の数学、二年生谷崎潤一郎の文章」が府立一中の名物として並び立っていたというのです。

辰野は、この三人はすでに中学時代からその将来が約束されていたといっております。たしかに市河は英語学、竹内は代数学の大家となり、それぞれ東京帝国大学教授となっています。谷崎もまた近代文学史上に文豪としての名を残しており、その同級生だった辰野もフランス文学研究者として大成しているのですから、当時の府立一中のレベルの高さがうかがわれます。

中学時代の通信簿

一九六六年十一月、谷崎が亡くなってから最初に開催された「谷崎潤一郎展」に、府立一中時代の成績表が展示されました。それをめぐる記事が週刊誌「サンデー毎日」に掲載されていますが、それによれば飛び級した三年の二学期の成績も、ほとんどの科目が10点中の9点か8点台で、クラスでの順位は四七人中一番、学年全体では一八七人中三番となっています。

三学年の全体平均では、クラス、学年全体でも一番になっておりますが、四年生のときには年間を通してクラスでは一番、学年全体では三番という成績でした。五学年では少し気がゆるんだのか、あるいはこの時期に、学校に通いながら家事や雑用をして働く書生《しょせい》として他家に住み込んでいたので、勉強する時間が足りなかったのか、クラスで二番、学年全体では八番と成績を下げております。

一学年のときの成績表は紛失して残っていないということですが、全体的にみれば国語漢文や外国語はもとより、歴史、地理、数学でも優れた成績を残しています。ただ体操のみ三学年のとき5点と極端に低い点になっております。運動神経は学生時代からまるでダメだったようです。

この点に関して、辰野は四年生のときの思い出を語っています。機械体操に自信のあった辰野は、特に木馬《もくば》(いまの跳び箱にあたる馬の背形の体操用具)を得意としており、体操でその木馬の時間に妙技《みょうぎ》を発揮して、鬼教官と恐れられた体操教師にも褒《ほ》められましたが、次は谷崎の番だったといいます。

鉄棒にぶら下《さが》れば、何時《いつ》も、ぶら下がったきりの谷崎に木馬が飛べる筈《はず》がなかった。彼は木馬を目がけて遮二無二《しゃにむに》駆け寄って来た。傍《かたわ》らで視《み》ていた僕は《危《あぶな》いッ!》と思った。目標に近づいてから速力をゆるめることさえ心得ぬ谷崎は、木馬の一端に両手を突くと、体の勢いで前にのめって、木馬の背でしたたか鼻柱を打ったかと思うと、横に倒れて、砂の中に顔を埋めた。辛《かろ》うじて起きあがった彼の顔は砂にまみれ、鼻血が、赤く腭《あぎと》を染めていた。

顔を洗って再び列に戻った谷崎は、片足を引きずり、鼻の一方の孔《あな》に紙を丸めたのがつめてあったといいます。そうした谷崎を見て辰野は、「体操の嫌いな秀才に体操を強《し》いる必要が何処《どこ》にある、という反抗心」と、「その犠牲《ぎせい》となった麒麟児《きりんじ》に対する同情とでもいうような、、、、もやもやをどうすることも出来なかった」と回想しております。

春風から秋雨へ

一九〇三年十二月、谷崎が十七歳の中学四年のときに刊行された「学友会雑誌」第四十二号には、「春風秋雨録《しゅんぷうしゅううろく》」という自伝風の文章が掲げられています。これは当時の谷崎の気持ちがストレートに、もっとも正直に語り出されたもので、四百字詰の原稿用紙に換算して十八枚ほどです。

谷崎は幼少期を、祖父が築いた財産で比較的裕福に、わがままいっぱい甘やかされて育ちました。小学校へ入学しても通うのをいやがり、四月からの一学期間は休んで、九月から行きだしたといいます。それも、乳母がついていなければ通学できず、乳母の姿が見えないと泣き出して帰ってしまうという具合でした。翌年は原級にとどめられ、一年生をやり直しました。ここで通常の生徒よりも一年、遅れてしまったわけです。

二年目はようやく学校にも慣れて、首席で進級するようになりました。が、そんな贅沢《ぜいたく》に甘やかされたのも、小学校一、二年生ころまででした。父の倉五郎《くらごろう》が事業に失敗して、南茅《みなみかや》場町《ばちょう》の裏長屋にひっそり生活しなければならなくなったからです。

「春風秋雨録」でも、そのあたりのことを詳しく記しています。が、現代の中高校生にはちょっと難しい擬古文《ぎこぶん》で書かれているので、現代語訳をまじえながら、要約するかたちで紹介しましょう。

その昔、父上や母上もまだ若かった頃のこと、「五つなる我を伴《ともな》ひ玉《たま》ひて、大磯《おおいそ》松林館に遊びたまひし折は」、自分も「まだ世の中の汚《けがれ》も知らず、憂《う》さもしらず、悲しみも知ら」ないままに、「いとほしの幼児《おさなご》よ、愛らしの少年よ」と、ひとにも褒《ほ》めそやされて、自分も何となくうれしい心に満たされた。浜辺に出れば、磯の白波が自分のために笑いかけ、渚《なぎさ》の真砂《まさご》も自分のために美しく、天地の万物はすべて、幼い自分の心を慰《なぐさ》めるためにあるかのように感じられた。そのときの父上や母上のよろこびも、いかばかりであったろうか。そうした楽しい月日を送ったのも、今では昔のことを思い出すよすが「よりどころ」となって、かえって恨《うら》めしくもある。それから夢の間に八歳の春を迎えて、自分もいくらか物の道理も分かってきたころ、「一日父上もの思はしげに外よりかへり給《たま》ひしが、それより家の中何となうそはそはとしてさわがしく」、やがて蠣殼町の店も閉め、仕事も休んで、茅場町のどこやら大変あやしげで狭苦しい家に移った。「あはれ後にて思ひあはすれば、父上の商業に失敗し玉ひしなりけり」。

谷崎家の没落後、少年の谷崎にとっては「父上や母上のまだ年若く」て、裕福だったころの幼少期こそ至福の楽園だったといえます。ここに書かれているように、神奈川県の大磯に避暑《ひしょ》に出掛けたりして楽しい日々を送ることもできました。が、父の事業の失敗から店も閉じ、慌《あわ》ただしく引っ越さなければならなくなりました。

急速に落ちぶれて、南茅場町の家に移り住んだのは、一八九四年の春、谷崎がもうじきに八歳になろうというときでした。のちに子ども時代を回想して書いた『幼少時代』には、九歳か十歳ころの経験として、「つい二三年前までは裕福に育っていた身が、今では貧家の悴《せがれ》になったのだ」という意識から涙をこぼした、というエピソードが語られています。

このときの落魄感《らくはくかん》は、一種の精神的外傷(トラウマ)として、幼い谷崎の心によほど深く刻みつけられたようです。「もう一度昔の乳母日傘《おんばひがさ》で暮らした時代に返りたいと云《い》う念が、いつも心の何処《どこ》かしらに潜《ひそ》んでいた」(『幼少時代』)といいます。まさに幼少期の春の爛漫《らんまん》な穏やかな春風にふかれていたのが、急に冷気が身にしむ寂寥《せきりょう》たる秋風にさらされる境遇に激変したわけです。

中学校進学への思い

生活の苦しい両親は、谷崎が小学校を終えたならば、すぐにも商家へ見習いとして働く丁稚《でっち》奉公《ぼうこう》に出すつもりでした。当時の小学校は尋常科《じんじょうか》の四年間が義務教育で、その上に高等科が四年ありました。高等科二年から中学校へ進学することが可能でしたが、中学校に進学の予定のない生徒で、もう少し学びたいというものは高等科四年を卒業してから社会へ出るのが一般的でした。

中学進学をまったく考えていなかった谷崎は、そのため高等科の四年間をまるまる通うことになりました。ここで高等科二年生を終えて中学校へ進学した最短のコースの生徒から比べて、二年の後《おく》れをとったわけです。尋常小学校の一年生をやり直したのと合わせて、合計三年の後れとなってしまいました。

高等科の四年間を担任したのは若い熱血漢の稲葉《いなば》清吉《せいきち》という先生でした。谷崎は高等科を四年間学んだおかげで、この稲葉先生からたっぷり教育を受けました。それは谷崎の天分を認めた、一種の英才教育でした。谷崎はその感化によって学問の面白さを知り、文学への目をひらかれることになります。

「春風秋雨録」には、小学校を卒業する谷崎に向かって、父が苦しい自分の胸のうちを明かしながら、次のようにさとす場面が描かれます。現代語訳によって紹介しましょう。

富裕な家の子は、これから中学校へ進学し、なお勉学に励むだろう。お前もまたそうしたいだろうけれど、自分も昔のように豊かであったならば、お前の望みをかなえてもやりたい。しかし、不幸にして商売に失敗した今の身の上では、なかなかそうすることも難しい。これも運命とあきらめて、商店の丁稚になるか、銀行の給仕《きゅうじ》になるか、どちらかに決めて欲しい。立身出世は何も学問だけによるものではなく、学歴のないものでも巨万の富を築いた例も少なくはない。

これを受けて、谷崎は次のように記します。現代語訳を補いながら、引用してみます。

「われ幼きより、最も嫌ひしは軍人にて、次は商人なりき」。たとえ名声が世界に聞こえ、功名を天下に立てるとしても、他人の生命を奪い、刀を振り回して血を流すことは、人の道にかなうことであろうか。またたとえ巨万の富を重ねて、栄華《えいが》の春を謳歌《おうか》するとしても、ただ人生を夢のようにぼんやり過ごすのは、人と生まれてきた甲斐《かい》がない。「あわれ願はくは釈迦牟尼《しゃかむに》〔釈迦の尊称〕の如き一大宗教家となりて、衆生《しゅじょう》の煩悩《ぼんのう》苦痛を救ひなむ〔救いたい〕」。そうでなければ西行《さいぎょう》、杜甫《とほ》のような詩人となり、清く高潔なる快楽によってこの欲に満ちた世界を超越し、ゆったりと落ち着いた一生を送りたい。あるいはプラトン、カントのような哲学者となって、宇宙の微妙な真理を明らかにしたい。これが自分の志すところである。そうであるのに父上がおっしゃることは、あまりに悲しい限りである。「われは不孝と知りつつあくまでも父上にそむき、男子苟《いやしく》も気骨《きこつ》あり、たとへ牛乳の配達をなし、新聞の売子となるとても、いかで商賈《しょうこ》の丁稚となりて店頭の客に頭を屈し、媚《こび》を呈《てい》することをなさむやと、かくおもひつづけては悲しさ、口惜しさ、一時に胸にせまりて其日《そのひ》其日を泣きあかしにき〔泣き明かした〕」。

このように谷崎自身、商家の丁稚になることをはげしく嫌い、牛乳配達や新聞の売子をしても勉学の意志をつらぬきたいと願いました。また稲葉先生が谷崎の才能を惜しんで、中学進学を強く父に説得したこともあって、谷崎は伯父《おじ》からの経済的な援助を受け、かろうじて中学校へ進学することができるようになりました。

稲葉先生の薫陶《くんとう》

稲葉先生は師範《しはん》学校を卒業してすぐに日本橋の阪本小学校に赴任し、最初の年に半年ほど谷崎を教えましたが、先にも触れたように、そのとき乳母といっしょに登校する谷崎を落第させた先生でした。高等科で再び谷崎を担任しましたが、もはや師範学校を出たばかりの経験の浅い先生ではありませんでした。

稲葉先生は教室では杓子定規《しゃくしじょうぎ》な教え方をせずに、教科書にとらわれることなく臨機《りんき》応変《おうへん》に、自由闊達《かったつ》な授業を展開しました。王陽明《おうようめい》派の儒学と禅学と、それにプラトンやショーペンハウアーの哲学を加味した思想をもち、それを分かりやすい言葉で語ったといいます。

　また文学趣味も豊かで、折にふれて西行や藤原定家《ふじわらのさだいえ》などの和歌や、漢詩、あるいは上田秋成《うえだあきなり》の『雨月物語《うげつ》』や、当時の多くの青年に愛読された矢野龍渓《やのりゅうけい》の政治小説『経国美談《けいこくびだん》』などを教えたといいます。日曜日には有志の生徒を誘って近郷の名所を散策し、その往《い》き帰りの途にも好きな詩や歌を吟《ぎん》じ、それに関連する事柄を語り聞かせました。

　これは私の己惚《うぬぼ》れかも知れないが、思うに或《あ》る時代の稲葉先生は、私の将来にすべての望みを懸《か》け、自分の受け持ちの級の中に、私と云《い》う生徒のいることに生き甲斐《がい》を感じていたのではあるまいか。〔ほかに優秀な生徒もいたが〕私のように先生の言動に強い反応を示すことはなかったので、先生としては私を自分の鋳型《いがた》に嵌《は》めることに力を注いたのではあるまいか。が、先生には文学趣味もあったけれども、真に志すところは古《いにし》えの聖賢《せいけん》の道で、私を儒教的に、もしくは仏教的に育成することを念としたらしいので、しまいには私に失望する結果となった。私は次第《しだい》に、自分の哲学や倫理宗教に対する興味は、要するに一時の附《つ》け焼刃《やきば》で、先生からの借り物であるに過ぎず、自分の本領は純文学にあることを悟るようになるにつれて、いつからともなく先生と離れてしまった。

谷崎は『幼少時代』で、このように稲葉先生について回想しています。先の「春風秋雨録」の引用文にも、釈迦やプラトンなどの聖賢に言及し、西行、杜甫の詩文に親しんだことを語るなど、稲葉先生からの感化をうかがうことができます。が、谷崎自身いっているように、そうした教育を「あの時代の下町の小学校に施《ほどこ》そうとしたことは、適切を欠いていた」かもしれません。

今日でもこうした自由度の高い授業を公教育の場でおこなうとしたならば、問題となることでしょう。稲葉先生は校長との折り合いが悪く、教授上の注意も聞き入れなかったので、休職を命ぜられることになりました。それは一九〇六年三月のことで、谷崎の高等学校二年生のときでした。

その結果、稲葉先生は先生がたったひとりという横浜市外の小学校へ転任しなければならないことになりました。谷崎は中学生になっても稲葉先生を慕い、始終訪ねて教えをうけておりましたが、大学生になってもときどき思い出してはその草深い田舎《いなか》へ訪ねていったといいます。

竹馬《ちくば》の友

谷崎は小学校時代から中学時代にかけて、その才能を適切に引き出してくれた良き教師と出会いました。また良き友人にも恵まれましたが、そのなかでも偕楽園《かいらくえん》のひとり息子の笹沼《ささぬま》源之助《げんのすけ》とは生涯にわたって親しく交際し、何かと助けられました。

偕楽園は一八八三年に渋沢栄一《しぶさわえいいち》らの財界人たちによって組織された会員制の倶楽部《クラブ》組織ではじめられた、日本で最初の中国料理店です。三年後の一八八六年から笹沼のお父さんが経営を引き受けるようになりましたが、小学校時代の谷崎は毎日のように笹沼の家に寄って、勉強したり遊んだり、一緒にご飯を食べたりして家族同様の付き合いをしたといいます。

谷崎は裕福だった小学校時代に、両親に連れられて芝居を見にゆくことも多かったようです。子どもながら実に芝居の話にくわしく、笹沼は「僕なんかどれだけ感心しながらそれを聴いたかわからない」といっております。また「少年時代の谷崎君を追懐《ついかい》して忘れられないことの一つは、草双紙《くさぞうし》〔絵入りの読み物〕類を頻《しき》りに耽読《たんどく》していたことと、浮世絵や武者絵《むしゃえ》を

阪本小学校高等科時代．後列左から２人目が谷崎．前列左から２人目が稲葉清吉先生，右端が笹沼源之助（『別冊太陽 谷崎潤一郎』平凡社，より）

こよなく愛して、紙や石板《せきばん》にそれを実に上手に写して喜んでいた」ことだといいます（「谷崎君の少年時代」）。

一八九八年の高等小学校二年生のときには、先輩の文学少年を中心に、谷崎や笹沼は級友も誘って「学生倶楽部」という回覧雑誌をはじめました。その折に笹沼の家が編集会議の場所になり、回覧雑誌は十数号もつづいたといいます。現在、そのうちの二冊だけが東京・駒場の日本近代文学館に所蔵されています。

また笹沼は、谷崎の父が事業に失敗して生活に困り、中学校への進学も危ぶまれたとき、「私の父も自分の息子の親友の困窮《こんきゅう》を見かねて、自家の書生ということにして学費を出そうと云《い》い出したが、私は自分の友人を書生とするのはどうも気が進まず、この話は実現しなかった」といっております（「谷崎と偕楽園」）。

「神童谷崎」という文章では、次のようにもいっています。

谷崎の「神童」を読む人はそれが創作であると知りながらも、主人公春之助《はるのすけ》の面影を著者谷崎に重ね合わせて読んでゆくのではあるまいか。私のように小学校時代から谷崎と「源ちゃん」「潤ちゃん」と呼び合う間柄《あいだがら》にあるものが読むと、大体どこまでが事実でどこから創作であるかがわかって、読むたびに昔のことを思い出して感慨《かんがい》にふけるのである。〔中略〕

当時の小学校は尋常科が四年、高等科が四年であり、谷崎や私が高等科一年になったときの受持ちが稲葉清吉先生であった。この先生については谷崎の「幼少時代」に詳しいが、谷崎の精神面に与えた先生の影響は大きい。「神童」の主人公は四書五経《ししょごきょう》から老子、荘子、更《さら》に多くの仏教書、またカーライル、プラトン等を貪《むさぼ》り読んでいるが、これは谷崎の場合も同じである。谷崎は子供の頃から物の考え方がまじめで、非常に道徳的であった。「聖人になる」という春之助の望みは、稲葉先生の影響をうけた谷崎自身の願望でもあった。

谷崎に「神童」という作品があることは、先にもいったとおりです。この竹馬の友の証言によっても、大きく誇張《こちょう》はされているようですが、主人公の心情は中学時代の谷崎の気持ちそのままだったと見てもいいようです。

聖人願望

谷崎が中学時代を振り返って書いた、自伝的な小説「神童」の主人公瀬川春之助は、高等小学校時代から平仄《ひょうそく》(漢詩作法における音声上のきまり)が合った漢詩をつくったといいます。谷崎自身も中学一年生のとき、「牧童」と題した漢詩を「学友会雑誌」に載せたことは先にもいいました。

春之助は高等小学校を終えると、中学校へやるだけの経済的な余裕のない両親から丁稚奉公に出ることを強く望まれます。両親から丁稚奉公へ出ることを説得してもらうように頼まれた小学校の教師は、春之助に向かって「そんなに勉強して将来何になるつもりか」と問いかけます。

　すると、春之助は「聖人」になって、世の中の多くの人の魂を救ってやるのだ、と答えます。そんな春之助は小学校の校長の尽力《じんりょく》で、父が番頭を勤める木綿問屋《もめんどんや》の主人の家に家庭教師兼書生として置いてもらうことになって、ようやく中学への進学が可能となります。中学に進学した春之助はすぐに頭角をあらわし、全級の評判になります。


　或《あ》る日修身《しゅうしん》〔当時の教科の一つ。道徳などを教えた〕の時間に、教師が「諸君は何のために学問を修めますか。」と云《い》う質問を提示して、五六人の生徒に答えさせた。「瀬川」と最後に呼ばれた時、春之助は立ち上って、

「私は将来聖人となって、世間の人々の霊魂を救うために学問をするのです。」

と、朗《ほが》らかな調子で云った。どっと云う嘲笑《ちょうしょう》の声が満堂の生徒の間に起《おこ》った。教師の顔にも皮肉な微笑《びしょう》が浮かんで見えた。

「君等《きみら》は何を笑うのかあ！」

突如《とつじょ》として春之助は渾身《こんしん》の声を搾《しぼ》りつつ火のような息で怒号《どごう》した。

「何がおかしくて君等は笑うのだ。僕は嘘を云うのではないぞ。確乎《かっこ》たる信念を以《もっ》て立派に宣言して居《い》るのだぞ！」

彼は眦《まなじり》を決し拳《こぶし》を固めて場内を睥睨《へいげい》しながら、仁王《にお》立《うだ》ちに突っ立ったまま連呼した。教師も生徒も一度にぴたりと鳴りを静めて、満面に朱《しゅ》を注いだ彼の容貌《ようぼう》を愕然《がくぜん》として仰ぎ見た。

これ以来、春之助には「聖人」というあだ名がつきましたが、谷崎の身の上に実際にこうした体験があったかどうか分かりません。おそらくフィクションでしょう。

それにしても、教師の「諸君は何のために学問を修めますか」というのは、今日でも変わることのない根本的な問いですね。日清戦争後の多くの少年たちが憧れたのは第一に軍人で、次《つ》いで政治家や実業家でした。春之助の聖人志望というのは、いたってユニークです。が、それは、幼友達の笹沼もいうように、稲葉先生から薫陶を受けた少年時代の谷崎のいつわらざる気持ちだったといっていいでしょう。

書生生活

谷崎は中学二年生の一学期に、再び父の事業の失敗から廃学の危機に立たされることになりました。もはや勉学などは思いもよらないことで、すぐにでも学校を退学して、実業の方に従事して欲しいというのが父の希望でした。谷崎も今度は、あまりの悲しさから父にさからう勇気も出なかったといいます。

「春風秋雨録」には、「さらばわれこれより他人の家の書生となりて苦学すとも、商人とはなるまじと思ひ定め」て、学校へその願書を出したといいます。書生とは一般には学生のことをいいますが、ここで用いられた「書生」は、また別な、限定的な意味をもった言葉です。

これまでにも何度か触れましたが、ここでいう書生とは、経済的に困窮した優秀な学生が、事業に成功した篤志家《とくしか》の家に住み込んで、その家の家事や雑用を手伝いながら、学費と食事をだしてもらって、学業をつづける制度です。当時はいまだ現代のように奨学金の制度もない時代でした。こうした篤志家の存在によって優秀な人材が社会から葬《ほうむ》られることを防いでいたわけです。

「春風秋雨録」の記述によれば、書生になりたいものは学校に願い出るシステムになっていたようです。何としても学業をつづけたい谷崎が、その手続をとったところ、校長先生をはじめ、担任の教師も驚いて、父親を学校へ呼び出したり、我が家へ訪ねてきたりしたといいます。学校側の驚きも一方《ひとかた》ならなかったようです。

父親は、はじめ谷崎が書生になることになかなか首をたてに振らず、かたくなに拒《こば》んだようです。が、学校の先生方が熱心に説得してくれたので、ようやく納得してくれたといいます。一年生のときの担任で、漢文担当の渡辺盛衛《わたなべもりえ》という先生が、ことに谷崎の才能を惜しんで尽力してくれたようです。

その渡辺先生の斡旋《あっせん》によって、谷崎は京橋区采女町《うねめちょう》(現在の中央区銀座五丁目)にあった、日本で最初に開業した西洋式ホテルの築地《つきじ》精養軒《せいようけん》の主人、北村重昌《きたむらしげまさ》の家に書生兼家庭教師として住み込み、学業をつづけることになりました。一九〇二年六月のことで、谷崎が満十五歳のときでした。

谷崎は中学二年生のときから、第一高等学校の二年生の二十歳まで北村家で書生をつとめています。この家では奉公人どうしの恋愛はご法度《はっと》でしたが、高校二年生のとき、行儀《ぎょうぎ》見習にきていた小間使《こまづかい》との恋愛が発覚して、北村家を追われることになります。その後は伯父に学資をだしてもらって一高を卒業し、東京帝国大学へ進学することになります。

春の目覚め

谷崎が府立一中の「学友会雑誌」に掲載した文章は、「厭世《えんせい》主義を評す」（第三十七号）「道徳的観念と美的観念」（第三十八号）「文芸と道徳主義」（第四十三号）など、タイトルを見ただけでも、道徳的倫理的な要素の強いものでした。「文芸と道徳主義」は、「春風秋雨録」と同じ四年生のときに書かれています。

自分は不幸にして幼いときから「人生の災禍《さいか》」に遭遇して、貧困のなかに育って運命の手に翻弄《ほんろう》され、社会の下層に呻吟《しんぎん》して恩人の慈悲にすがりながら、中学に通う一介の貧書生にすぎない。しかし、「時に胸中《きょうちゅう》に不平満々として僅《わずか》に荘子、ニイチェを思うて自快となし、鬱屈《うっくつ》を遣《や》る時なきにあらず（荘子、ニーチェの思想を学んで自ら喜び、憂鬱な気持ちを晴らす時がないでもない」」と吐露《とろ》しています。宗教的、哲学的な思索《しさく》が、いわば要求不満のはけ口になっていたわけです。

　こうした思想的な煩悶《はんもん》も、稲葉先生からの影響下にあったものでしょう。やがて思春期を迎え、外界からのさまざまな刺激をうけることによって、こうした悩みも純粋に持続しつづけることが難しくなります。俗に神童も二十歳《はたち》を過ぎればタダのひと、といいますが、さしもの神童も、俗人と同じ悩みをかかえもつことになります。

「神童」の主人公春之助は、住み込んだ家の華美な暮らしぶりに、はじめは反感をいだかざるをえませんでした。が、その家の家族がとる食事はこれまで見たことも、口にしたこともないようなもので、やがてその食事の「お余り」をいただくことに限りない喜びを感ずるようになります。奥様やお嬢さんがかもしだす女性的な、美しく妖艶《ようえん》な世界にも憧れるようになり、隙《ひま》をぬすんでは芝居の立見をするようにもなります。

　また春の目覚めとともに、頭のなかは大きな変化をきたすようになりました。「一遍《いっぺん》小耳へ挟《はさ》んだら未《いま》だ嘗《かつ》て忘れた事のないと云われた自慢の脳髄《のうずい》が、無残《むざん》にも空洞《うつろ》のように涸《か》れ果ててしまったらしく、〔中略〕脳の力の弛《ゆる》むにつれて、無理やりに圧搾《あっさく》されて居た細かい智識《ちしき》の数々が、恰《あたか》も瓦斯《ガス》の発散する如《ごと》く、隙を狙って次第々々に飛び散ってしま」うかのように感じられます。

春之助はその原因が、「彼の心身の奥深く喰い込んでしまった狂わしい悪習慣」にあることはよく分かっているのです。が、ほとんど不可抗力をもって押し寄せる欲望を禁じることができません。自分自身、みずからの運命をどうすることもできないのです。

「神童」は、次のように結ばれます。

「己《おれ》は子供の時分に己惚《うぬぼ》れて居《い》たような純粋無垢《むく》な人間ではない。己は決して自分の中に宗教家的、若《も》しくは哲学者的の素質を持って居る人間ではない。己がそのような性格に見えたのは、兎《と》に角《かく》一種の天才があって外《ほか》の子供よりも凡《す》べての方面に理解が著《いちじる》しく発達して居た結果に過ぎない。己は禅僧のような枯淡《こたん》な禁欲生活を送るにはあんまり意地が弱過ぎる。あんまり感性が鋭《するど》過ぎる。恐らく己は霊魂の不滅を説くよりも、人間の美を歌うために生れて来た男に違いない。己はいまだに自分を凡人だと思う事は出来ぬ。己はどうしても天才を持って居るような気がする。己が自分の本当の使命を自覚して、人間界の美を讃《たた》え、宴楽《えんらく》を歌えば、己の天才は真実の光を発揮するのだ。」
そう思った時、春之助の前途には再び光明《こうみょう》が輝き出したようであった。彼は明くる日から哲学の書類を我慢《がまん》して通読するような愚かな真似《まね》をやめにした。彼は十一二歳の小児の頃の趣味に返って、詩と芸術とに没頭すべく決心した。

評論家の小林秀雄《こばやしひでお》は「神童」を、「作者が自らの資質の発見史」と評しております(「谷崎潤一郎」)。春之助の言葉を借りて語られたように、たしかに谷崎のもって生まれた才能は天下国家を論じたり、宗教家ないし哲学者になるよりも、鋭い感性によってこの世の美をたたえ、人間世界の享楽《きょうらく》を歌いあげる芸術家にふさわしいものだったようです。

作家への決意

高校二年生のときに小間使との恋愛の発覚によって北村家を追われてから、谷崎は本格的に作家になる決意をかためます。二年生のときから三年生へかけて一高の「校友会雑誌」にも、「狆《ちん》の葬式」「うろおぼえ」「死火山」といった習作を発表しています。

後年、談話筆記「学校時代」では、「私が一番初めに小説のようなものを書いたのは高等学校の二年の時です。〔正岡〕子規《しき》の写生文を模倣《もほう》したものでしたが、今見てもそんなまずいものではないと思います」と語っています。

当時は法科（法学部）が万能といわれた時代だったので、今の大学教養課程にあたる一高には、将来の生活を顧慮《こりょ》して英法科に入学しました。が、大学では「背水《はいすい》の陣を敷くつもりで文科へ転じた」（『青春物語』）といいます。それももっとも人気のない国文科でしたが、「いよいよ創作家になろうと云う悲壮な覚悟をきめたので、国文科だったら、学校の方を怠《なま》けるのに一番都合がいいと考えたから」といいます。

しかし、文壇《ぶんだん》へ出るための手づるもなければ、家に資産もないので、ほんとうに原稿料で食っていけるかどうか心配だったようです。また当時は現実をあるがままに写しとろうとする自然主義文学の全盛時代で、谷崎にはそれに叛旗《はんき》をひるがえす作品を書こうという野心があったので、なおさら文壇へ進出することが困難と思われました。

谷崎ははじめ、平安時代の歴史物語『栄華《えいが》物語』から材を取った一幕物の戯曲《ぎきょく》「誕生」を書いて、「帝国文学」という雑誌に送りましたが、没書となりました。ついでいくらか自然主義に妥協《だきょう》した「一日」という短篇を「早稲田文学」に持ち込んだのですが、これも掲載を拒まれました。

その失望は大きく、一時は都落ちをして、田舎の新聞記者となることを真剣に考えたといいます。そんな谷崎を力づけたのは、先輩作家の永井荷風《ながいかふう》が、アメリカ滞在中に執筆した清新で詩情あふれる短篇小説をあつめた『あめりか物語』の出現でした。激しい神経衰弱《しんけいすいじゃく》にかかって常陸《ひたち》の助川《すけがわ》(現在の茨城県日立市)にあった偕楽園の別荘に転地療養していたとき、これを読んだ谷崎は「自分の芸術上の血族」(『青春物語』)を見出《みいだ》した気がしたといいます。そして、「将来若《も》し文壇に出られることがあるとすれば、誰よりも先に此《こ》の人に認めて貰《もら》いたいと思」ったといいます。

文壇へのデビュー

一九一〇(明治四十三)年九月、先輩作家の小山内薫《おさないかおる》を盟主《めいしゅ》に第二次「新思潮」が同人雑誌として創刊されると、それに二十四歳の谷崎も参加しました。そのとき雑誌刊行のための費用の一部を負担してくれたのが、竹馬の友の笹沼家でした。谷崎は創刊号に「誕生」を掲げ、第三号に「刺青《しせい》」、第四号に「麒麟《きりん》」、翌年の六月には文芸雑誌「スバル」に「少年」、九月に「幇間《ほうかん》」などの初期の代表作を次々に発表していきました。

こうした初期作品は、作家の三島由紀夫《みしまゆきお》の言葉を借りれば、自然主義文学の「黒い曇天《どんてん》を背景にして咲き誇る絢爛《けんらん》たる牡丹《ぼたん》の美を開顕《かいけん》した」といえます(「谷崎潤一郎」)。奔放《ほんぽう》な空想力ときらびやかな文体で綴《つづ》られた、強烈な感覚と色彩にみちた耽美的《たんびてき》な作品の数々は、多くの読者に驚きをもって受け入れられました。

一九一一年十一月の雑誌「三田文学」に、永井荷風は「谷崎潤一郎氏の作品」という評論を掲げます。「明治現代の文壇に於《おい》て今日まで誰一人手を下《くだ》す事の出来なかった、或《あるい》は手を下そうともしなかった芸術の一方面を開拓した成功者は谷崎潤一郎氏である」と書き出され、最大級の賛辞《さんじ》をもって激賞されました。

敬愛する先輩作家からの絶讃にみちた批評を読んだ谷崎は、「雑誌を開けて持っている両手の手頸《てくび》が可笑《おか》しい程ブルブル顫《ふる》えるのを如何《いかん》ともすることが出来」ず、「果《はた》して先生は認めて下すった。矢張《やはり》先生は私の知己《ちき》だった」と、胸がいっぱいになったといいます(『青春物語』)。

また同時に、当時文壇への登竜門《とうりゅうもん》とも目《もく》されていた「中央公論」の創作欄にも「秘密」を発表して、新進作家として文壇へデビューすることができました。谷崎自身、『青春物語』に「バイロン卿《きょう》の例を引くのも烏滸《おこ》がましいが、由来私は最も花々しく文壇へ出た一人であるとされている」といっております。

イギリスの詩人バイロンは「チャイルド・ハロルドの巡礼《じゅんれい》」という詩集の刊行によって、「ある朝目が覚めたら有名になっていた」といいます。神童で苦学生だった谷崎の文壇へのデビューも、それほど華々しいものでした。

コラム

近代日本の学校制度……その二

この本に取り上げる作家たちがどのような学校制度のもとに学んでいるのか、「その一」からさらに時代をさかのぼって説明しましょう。

近代日本ではじめて学校制度を制定した「学制」が公布されたのは、一八七二(明治五)年のことで、樋口一葉が生まれた年でした。「学制」では、全国が八つの大学区に、そして大学区は三十二の中学区に、さらに中学区は二百十の小学区に分けられ、それぞれの学区に対応して一校ずつ大学校、中学校、小学校を設置するというものでした。小学校でいえば、実に全国で五万三千七百六十校もの創設が予定されました。ちなみに一八七四年に夏目漱石が最初に入学した戸田学校は、第一大学区第五中学区第八番小学でした。

小学校は尋常《じんじょう》小学校として下等小学と上等小学にわかれ、それぞれ四年・八級ずつの課程で修了とされました。就学年齢は原則として下等小学が六歳から九歳、上等小学が十歳から十三歳でした。また教育を受けるものは授業料を納付しなければなりませんでした。この

「学制」は思い切った壮大な計画でしたが、あまりに理想的で、当時の政府や社会にそれを十分に実施するだけの力はまだありませんでした。

一八七三年の就学率は、『学制百年史』によれば、男性39・9％、女性15・1％で、平均すると28・1％ということです。一葉が就学年齢に達した一八七八年には、男性57・6％、女性23・5％、平均41・3％となっています。一葉の幼少時には小学校に通うのは半数以下の子どもで、女性の就学率は、男性に比べると異様に低かったことが分かります。

一八七九年には、現実とあまりにかけ離れた「学制」が廃止され、「教育令」が制定公布されました。これは小学校の最短規定が十六ヶ月とされ、地方ごとの地域性と人民の自主性に大きくまかされたので、自由教育令と呼ばれました。が、この方針は自由放任とも受け取られ、翌年には改正されました。改正教育令では小学校の修学年限は三年以上八年以下とされ、その後の一八八一年の「小学校教則綱領《きょうそくこうりょう》」によって、小学校は、初等科三年、中等科三年、高等科二年の三段階編成と定められました。

漱石は「学制」にもとづいて小学校で学びました。一葉も吉川学校では「学制」によっていましたが、のち一八八一年に編入学した青海《せいかい》学校では「教育令」によっています。一八八

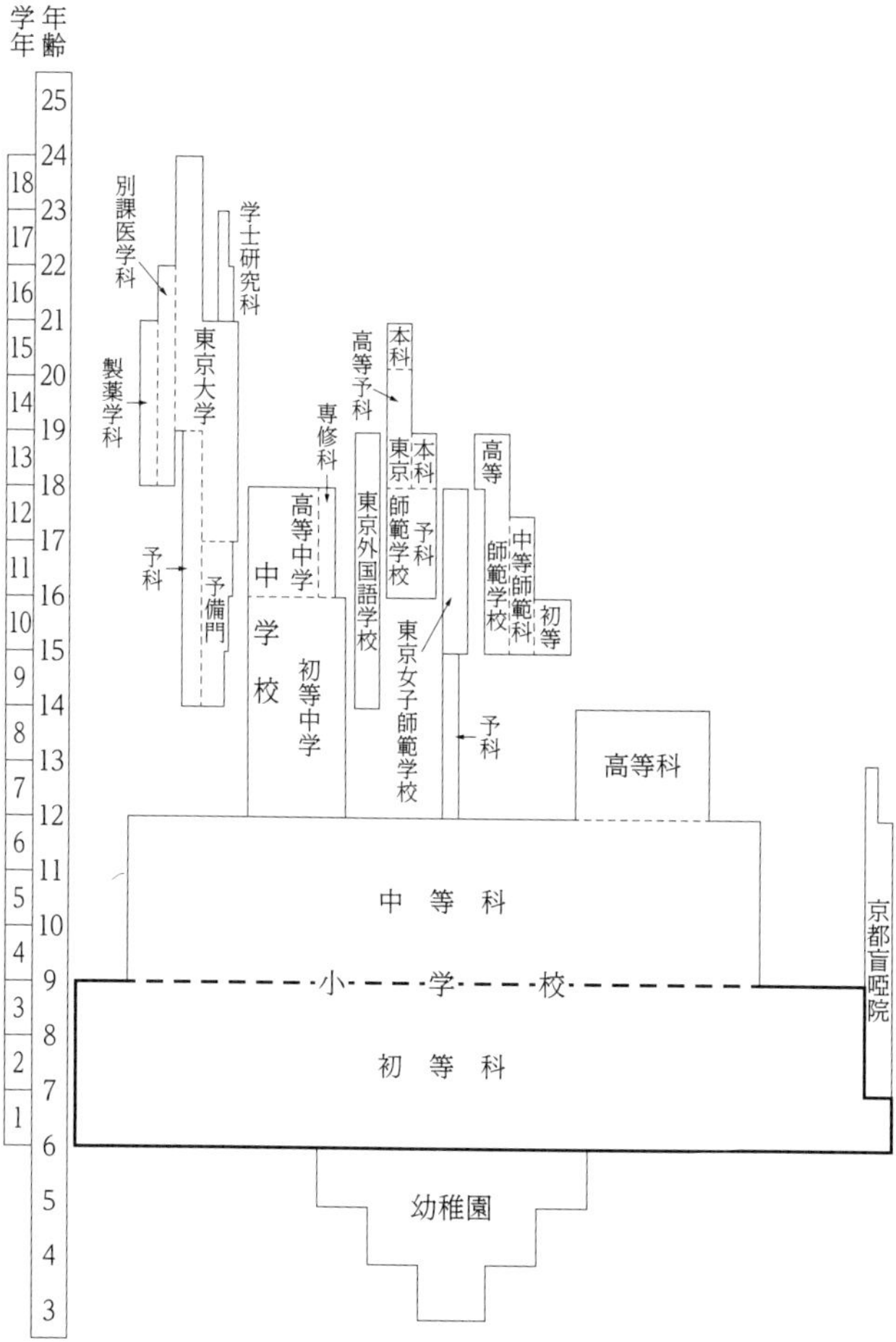

図２　1881年の学校系統図(文部省『学制百年史　資料編』)

三年十二月に青海学校小学高等科第四級を修了しておりますが、これが一葉の最終学歴でした。図2は改正された教育令を中心とした一八八一（明治一四）年当時の学校系統図ですが、この制度によって漱石は中学以降の学校生活を送ることになります。

この図を見れば一目瞭然《りょうぜん》ですが、この時代の学校制度は小学校、中学校から大学への道すじが整えられていませんでした。当時日本で唯一《ゆいいつ》の大学である東京大学に附属した大学予備門は、宙ぶらりんの状態にあります。この間、大学予備門を目指す学生はそれぞれ独自に学ばなければなりませんでした。

国家の基礎づくりのための初等教育（小学校）と国家の指導者養成のための高等教育（大学）の重要性は、だれの目にも明らかだったでしょう。進学率が一パーセントにも満たなかった、大学進学を必ずしも前提としない中等教育を担《にな》う中学校の整備が、あとにまわされたのも仕方なかったのかもしれません。

東京大学は一八七七年に東京開成学校と東京医学校が併合して設立しました。このとき東京大学に附属するかたちで官立の東京英語学校と東京開成学校の予科が合併して、東京大学予備門となりました。十四歳以上で入学が可能で、東京大学へ進学するものはすべて予備門を経なければなりませんでした。そのため、当時の東京には予備門の受験準備のための私塾《しじゅく》がたくさんあって、漱石もそうした塾で学んでおります。予備門は一八八六年の中学校令で第一高等中学校に、一八九四年の高等学校令で第一高等学校(一高)と改称されました。

一八八五年に、明治政府はそれまでの太政官制を廃止して、新たに内閣制度を創設しました。文部省が設けられて、初代文部大臣に森有礼《もりありのり》がなりました。森は大臣に就任後ただちに学校制度の改革に着手し、教育令を廃止して、一八八六年に諸学校令を公布して、近代日本の学校制度の基礎を確立しました。そのことは、「その一」で述べたとおりです。

東京大学は、帝国大学令によって帝国大学と改称され、法科大学、医科大学、工科大学、文科大学、理科大学の五分科大学をもって構成されることになりました(一八九〇年に農科大学も加わりました)。漱石が大学を卒業した一八九三年には、大学の名を冠せられたものは、この帝国大学がただひとつでした。一八九七年には京都帝国大学が設置され、それにともなって帝国大学も東京帝国大学と改称されます。

戦前の学校制度は、この一八八六年の諸学校令でその骨格がほぼ整備されて、「その一」に掲げた図1の、一九〇八年当時の学校系統図に向かって改正が重ねられていったのです。

第五章 樋口一葉

「誠《まこと》にわれは女成《なり》けるものを」

【樋口一葉《ひぐちいちよう》】

一八七二―一八九六年(明治五―明治二九)。本名は奈津《なつ》。東京生まれ。私立青海《せいかい》学校小学高等科中退。中島歌子の歌塾「萩《はぎ》の舎《や》」に入門した後、一八八九年に父則義が病没し、女戸主として一家を支えることになる。同門の田辺花圃《たなべかほ》『藪《やぶ》の鶯《うぐいす》』の刊行に刺激され、小説家となることをめざし、「朝日新聞」記者で小説家の半井桃水《なからいとうすい》に師事。一八九二年に半井が創刊した雑誌「武蔵野」に「闇桜」「たま襷《だすき》」などを発表。翌年には生活に行きづまり、下谷区竜泉寺町に荒物屋を開いたが、一年たらずで閉じ、本郷区丸山福山町に転居。「大つごもり」「にごりえ」「十三夜」「わかれ道」「たけくらべ」などの名作を一気に書き上げ、森鷗外、幸田露伴らから当代随一《ずいいつ》の作家と賞賛された。が、すでに肺結核に冒《おか》されていて、名声のなかに二十四歳七ヶ月の短い生涯を閉じた。没後に刊行された日記は、日記文学の傑作と称されている。

前ページの写真は一八九五年、二十三歳の頃(日本近代文学館提供)

十七歳の女戸主

樋口一葉は一八七二(明治五)年三月二十五日(旧暦)に、現在の東京都千代田区内幸町《うちさいわいちょう》の東京府庁官舎に生まれました。本名は奈津、みずからは夏、夏子とも記しています。翌年、明治政府はそれまでの月の満ち欠けをもとにした太陰暦《たいいんれき》にかわり、現在も使われている太陽暦(グレゴリオ暦)を採用することを決定し、明治五年十二月三日が六年一月一日となりました。現在の太陽暦に換算すれば、一葉の誕生日は五月二日ということになります。

十七歳の誕生日を迎えた一八八九年、父の則義《のりよし》が七月十二日に、六十歳で亡くなりました。一葉は前年二月に、長兄の泉太郎《せんたろう》が二十四歳の若さで病没したのをうけて、父則義を後見人とするかたちで、法律上で一家の長である相続戸主《そうぞくこしゅ》となっておりました。

一葉には虎之助《とらのすけ》というもうひとりの兄がいますが、この次兄は学問を嫌い、家財を持ち出したりしたので、父から勘当《かんどう》同様に分籍《ぶんせき》させられて、陶工《とうこう》の徒弟《とてい》に出されました。父の没後、母のたき、妹の邦子《くにこ》と一葉の、女三人の樋口家の命運は、文字どおりに十七歳の女戸主の小さな双肩《そうけん》にかかることになりました。

一葉は父の葬儀の手配から、初七日《しょなのか》や四十九日《しじゅうくにち》の法要、金の工面《くめん》まで、一切のことをみずからおこなわなければなりませんでした。「涙のとしの葉月廿日頃《はづきはつか》みの虫のちちよちちよと嵐のやどりにしるす」と前置きして、一ヶ月後の八月二十日ころに、父の葬儀に関する備忘《びぼう》録《ろく》を書き残しております。

生前の父則義は、こまめにいろいろな記録をとっておりました。父親ゆずりのそんな性格をもった一葉も、父の死去にともない、その記録を残すことを戸主としての務めともみなしたのでしょう。その冒頭に「さまざまに思ひみだれたる折の事」で、忘れたことも、知らないままのことも多くあるが、時が経ってしまうと分からなくなってしまうので、ともかくも思い出すままに記す、といっております。

「葉月廿日頃みの虫のちちよちちよと」というのは、『枕草子《まくらのそうし》』の「虫は」の段をふまえた表現です。清少納言《せいしょうなごん》はだれも関心を示すこともないような、みの虫といった存在に、ことのほか興味を惹《ひ》かれたようで、「蓑虫《みのむし》、いとあはれなり」と記しています。

みの虫は鬼が生んだというので、その親に似てこれもおそろしい心を持っているのだろうと、親がへんな着物を着せて、「秋風が吹くようになったら、迎えに来よう、待ってなさい」といい残して、逃げて行ってしまった。みの虫はそれも知らずに、風の音で秋の来たのを聞き知って、陰暦の八月(葉月)ころ、「ちちよ、ちちよ」と小さな声で力なげに鳴くのは、とても心をうたれることだ、というのです。

一葉も父に先立たれて、このみの虫と同じように、頼りなく、心細く、不安な気持ちでいっぱいだったのだと思います。風に吹かれてブラブラするみの虫と同じように、心は思い乱れ、この先、一家をどのように支えていったらいいのか、一寸《いっすん》先も分からないような状態でした。一葉の並大抵《なみたいてい》でない艱難辛苦《かんなんしんく》の後半生は、ここにはじまります。

父ゆずりの向上心

父の則義は、現在の山梨県甲州市に生まれた農民でした。母のたきも同村の農家の出身でしたが、ふたりは、たきの両親から結婚を反対されたため、真下専之丞《ましもせんのじょう》という幕臣《ばくしん》を頼って江戸へ駆け落ちしました。

真下は、もとは則義と同郷の農民でした。幕末には武士階級の規律もゆるみ、士族の株も金で売買されるようになっていましたが、江戸へ出た真下は、苦労のすえに士族の株を買い、当時は洋学の調査研究をする蕃書調所《ばんしょしらべしょ》の勤番筆頭《きんばんひっとう》をつとめておりました。一葉の両親は真下の厄介《やっかい》になりながら、真下と同じような立身出世のコースをめざしました。

故郷を出てから十年目の一八六七(慶応三)年七月、則義は江戸の下級役人、南町奉行《みなみまちぶぎょう》配下八丁堀同心《はっちょうぼりどうしん》の株を買うことができました。長いあいだの念願がかなって幕臣となったのですが、それもつかの間のことで、三ヶ月後の十月には大政奉還《たいせいほうかん》がおこなわれ、幕府は瓦解《がかい》してしまいました。

父則義は、ようやく出世街道に乗りかかったときに、大きな時代の波に出会い、のみ込まれてしまったわけです。が、父の上昇志向というか、向上心はなかなかのものでした。明治の新政府になっても、則義はそのまま身分が保証され、東京府の役人として勤めつづけることができましたが、士族のプライドも捨てることはなかったようです。

やがて、金融業《きんゆうぎょう》や土地家屋《かおく》売買にもたずさわり、官の給料よりも多くの収入を得るようになりました。一葉というと、貧困に堪《た》えながら才能を開花させた女性作家というイメージがつきまといますが、父親が存命中の幼少期には、それなりの豊かな生活を営んでいました。後年、一葉は日記「塵之中《ちりのなか》」の末尾《まつび》に、次のような自伝的な記述を残しています。読みやすくするために、句読点および濁点を補いながら引用してみます。

七つといふとしより草々紙《くさぞうし》といふものを好みて、手まり、やり羽子《はご》をなげうちてよみけるが、其中《そのなか》にも一《いち》と好みけるは、英雄豪傑《えいゆうごうけつ》の伝、任侠義人《にんきょうぎじん》の行為《こうい》などのそぞろ身にしむ様《よう》に覚えて、凡《すべ》て勇ましく花《はな》やかなるが嬉しかりき。かくて九つ斗《ここのつばかり》の時よりは、我身《わがみ》の一生の、世の常《つね》にて終らむことなげかはしく、あはれ、くれ竹の一《ひと》ふしぬけ出《い》でしがなとぞあけくれに願ひける。

ここで「七つといふとし」といっているのは、生まれた年を一歳と数える数え年なので、今日風にいえば、その年の誕生日がきて満六歳ということになります。その時期から一葉は、手鞠《てまり》や羽根つきなど子どもの遊びをするよりも、江戸期の合巻《ごうかん》などの草双紙《くさぞうし》や読本《よみほん》、なかでも英雄豪傑の物語を読むことを好んだといいます。一葉から古典を教えてもらったという穴《あな》沢《ざわ》清次郎《せいじろう》は、七歳のとき一葉が三日で滝沢馬琴《ばきん》の『南総里見《なんそうさとみ》八犬伝《はっけんでん》』を読んだと聞いて、よくそんなに早く読めたというと、「眼が二つあるから、一行宛《ずつ》読めるでしょう。ほ、ほ、ほ、ほ」と答えたといいます（「一葉さん」）。

一葉はひどい近視でしたが、当時住んでいた本郷《ほんごう》の屋敷には蔵があって、その暗い蔵のなかで本を読みすぎたので、近眼になったといいます。九歳のころには、すでに自分の一生が普通のありふれたかたちで終わってしまうことが残念で、何とかして「くれ竹の一ふしぬけ出《い》でしがな〔普通より一歩抜け出たすぐれたものになりたい〕」といつも願っていたというのです。

こうした向上心は父親ゆずりのものだったかもしれません。ただ、父が金銭や名誉など、どちらかというと世俗的で、物質的な目標に向かったのに対して、「利欲にはしれる浮《うき》よの人、あさましく、厭《いと》はしく」と思う一葉は、「金銀はほとんど塵芥《ちりあくた》〔ゴミ〕の様《よう》にぞ覚えし」と、精神的な意味での向上を望んだようです。

明治の女性と学歴

一葉の生まれた一八七二年は、近代日本の学校制度をはじめて制定した「学制」が公布された年でもあります。「学制」の序文には、人々が「其身《その》を立て、其産《さん》を治め、其業《ぎょう》を昌《さかん》に」するためには、「身を修め、智を開き、才芸《さいげい》を長《ちょう》ずる」ことによらなければならず、それには勉強することが必要で、学校はそのための施設、といっております。そして「学問は身を立《たて》るの財本《ざいほん》ともいふべきもの」で、「邑《むら》に不学の戸なく、家に不学の人なからしめん事を期《き》す」とあります。

つまり教育は国家発展のための礎《いしずえ》で、学問は立身出世のための有力な武器になるというのです。父母が甲州の片田舎から江戸に出てきて、並大抵でない奮闘《ふんとう》努力によって武士の株を買ったと同じことを、学問によってなし遂《と》げることができるというわけです。

一葉の幼少時には小学校に通うのは半数以下の子どもで、女性の就学率は、男性に比べるとなおその半分程度でした。当時の大半の女性は、すでに就学時において立身出世の道から閉め出されていたのです。

一葉はどのような学校教育を受けていたのでしょうか。妹の邦子は「姉のことども」に、「六つのとき本郷小学校へあがり、半年位《くらい》で兄達が他校へ転じたので、自分〔一葉〕も近くの私立の吉川小学校へはいりました。はじめ小学読本〔中略〕を読みましたが、じきおぼえてしまうので、では漢書をよませようというので、七つ八つからできるだけ教えてくれました。それもよくおぼえましたとのこと」と語っております。

ここで「六つのとき」といっているのは数え年で、一八七七年、満五歳の春、一葉は公立本郷小学校へ入学しました。兄たちが通う学校に自分も行きたくて、ついてゆくので両親がしかたなく手続きしたといいます。が、兄たちが私塾《しじゅく》の止《し》敬学舎《けいがくしゃ》へ転ずると、一ヶ月たらずで一葉も退学してその後、吉川学校に入学しています。

吉川学校は寺子屋がそのまま小学校になった、いわゆる変則小学校で、一葉は翌一八七八年秋に同校下等小学第八級を修了しています。当時、小学校は下等小学四年、上等小学四年に分かれて、それぞれ八級あって、原則として六ヶ月ごとに一級進みました。一葉は七級にも進み、吉川学校では下等小学第六級まで進んだようですが、いつまで在学したかはよく分かりません。

一八七九年には教育令が新たに制定されて、「学制」は廃止されました。教育令では小学校の就学の最短規定が十六ヶ月とされましたが、翌年には改正教育令が出されて、小学校の年限は三カ年以上八カ年以下とされました。そのまた翌年、一八八一年には「小学校教則綱《こう》領《りょう》」によって、小学校は、初等科三年、中等科三年、高等科二年の三段階編成と定められます。この時期の学校行政は、まったく猫の目のようにコロコロと変化しています。

一葉は、一八八一年十一月に私立の青海《せいかい》学校小学第二級後期に編入しております。一八八三年五月に同校小学中等科第一級を五番の成績で修了して、高等科へ進みました。そして同年十二月に高等科第四級を首席で修了しましたが、そのまま退学しています。現在の小学校五年生の前半ということになりますが、これが一葉の最終学歴です。

先に紹介した日記の自伝的な文章には、「十二といふとし学校をやめけるが、そは母君《ははぎみ》の意見にて、女子にながく学問をさせなんは、行々《ゆくゆく》〔将来〕の為《ため》よろしからず、針仕事にても学ばせ、家事の見ならひなどさせんとて成《なり》き」とあります。母のたきの見解は当時の社会の最大公約数で、女子の就学率が伸びないもっとも大きな理由も、そこにあったわけです。

父は「しかるべからず、猶《なお》今しばし〔そういわず、もう少し〕」と、母と言い争ったといいます。が、満年齢で十一歳のとき、一葉は「死ぬ斗《ばかり》悲しかりしかど」、学校はやめて、家事の手伝い、裁縫《さいほう》の稽古《けいこ》などに日を送るようになります。

のちに十七歳のときの雑記帳(「無題　その二」)に、「夫人のよに生れて願はしかるべきことこそいと多けれ〔女性がこの世に生まれてそうあって欲しいと願うことがとても多い〕」と記された感想があります。そこで一葉は、女性が学業で多くの制約をうけている現状を嘆き、職業においてもままならない状況に、「哀《あわれ》おのこならましかばとかこつも有《ある》べし〔ああ、ほんとうに男性に生まれてきたならばと嘆くものもいるだろう〕」と、不満といらだちをあらわにしています。

萩の舎入門

一葉は一八八六年八月、満十四歳のとき歌人・中島歌子《なかじまうたこ》の歌塾《かじゅく》、萩《はぎ》の舎《や》に入塾しました。学校をやめても一葉は、毎夜毎夜、机に向かうことをやめませんでした。そんな一葉の姿を見て、父はさまざまな和歌集を買い与え、親しく出入りしていた医師の遠田澄庵《とおだちょうあん》の紹介によって、萩の舎に入門するよう手はずをととのえてくれました。

中島歌子は江戸派の加藤千浪《かとうちなみ》に和歌を学んだ、宮中の和歌をつかさどる御歌所派《おうたどころは》の流れをくむ歌人でしたが、小石川《こいしかわ》の安藤坂《あんどうざか》に萩の舎という歌塾を開いておりました。歌塾は当時、女性たちが和歌や古典を学んで、教養を身につける勉学の場であると同時に、文化的な交流の場となるサロンの役割をも果たしていました。

一葉が入門したころは萩の舎の全盛時代で、皇族や華族をはじめ、高官の夫人や令嬢など、多くの門人がおりました。元老院《げんろういん》議官田辺太一《たなべたいち》の娘の田辺（のちに三宅《みやけ》）花圃《かほ》や、日本橋の富裕な商家の娘である伊東夏子、請負師《うけおいし》（建築業者）の未亡人田中みの子などが姉弟子におりました。一葉は伊東夏子、田中みの子の「平民組」と仲がよかったといいます。

入塾したばかりの一葉について、三宅花圃はこんなことをいっております。師の中島歌子のところへ江崎牧子（洋学者乙骨太郎乙《おつこつたろうおつ》の娘）とふたりで行ったおり、「お茶や五目鮨《ごもくずし》の饗応《もてなし》」をうけ、「見知らぬ婦人」が給仕してくれたといいますが、これが入塾したばかりの一葉だったというのです。お鮨を食べてしまうと、皿に宋《そう》の蘇軾《そしょく》の有名な漢文「赤壁之賦《せきへきのふ》」が書かれていました。牧子が「清風徐来水波不起（清風徐《せいふうおもむ》ろに来たりて、水波《すいは》起こらず）」と口ずさむと、一葉はちょっとそり身になって、気どりながら、その後の句を口ずさんだといいます（「女文豪が活躍の面影」）。

萩の舎の発会式，1887 年．最後列左から 3 人目が一葉．2 列目左から 4 人目が田辺花圃，5 人目が師の中島歌子(日本近代文学館提供)

なにやら『枕草子』の「香炉峯《こうろほう》の雪」を思わせるようなエピソードです。清少納言は雪がたくさん積もった日に、中宮《ちゅうぐう》の定子《ていし》から「香炉峯の雪、いかならむ〔どうでしょう〕」と問われて、『白氏文集《はくしもんじゅう》』の「香炉峯の雪は簾《すだれ》を撥《かか》げて看《み》る」という句を踏まえ、格子《こうし》をあげさせて、御簾《みす》を高く巻き上げたといいます。

清少納言はそこに居あわせた人たちに、その場にふさわしい所作《しょさ》と賞賛されましたが、明治の清少納言は才走《さいばし》った、生意気な小娘とみなされました。それで花圃や牧子からだいぶいじめられたようですが、一年もするとすっかり変わって、生意気な風はまるでなくなったと花圃はいっております。平安の王朝時代と明治における女性への認識の落差を、如実《にょじつ》にうかがわせる興味深いエピソードです。

入門した翌年一八八七年一月から、一葉は日記をつけはじめます。萩の舎の新年の歌会のはじめである発会式《はっかいしき》の日に、門人《もんじん》の多くが華やかに着飾って出席したのに、一葉は両親がどこかから調達してきた着古した「ふる衣《ごろも》」を着てゆきました。そのことを中心に記された日記は「身のふる衣　まきのいち」と題されましたが、その日の題詠《だいえい》（与えられた題で参加者が歌を詠む）の点取では「六十人余りの内にて第一の点」をとったことが誇《ほこ》らしく記されています。

父が存命していたこの時期には、一葉は生活に困るほど困窮《こんきゅう》していたわけではありませんが、萩の舎の門人の令嬢や上流婦人たちの生活レベルにくらべれば、とても問題になるものではありませんでした。こうした門人たちとの交際には気をつかわなければならなかったでしょうし、おのずから自分の気持ちをストレートに発散させることもむずかしかったと思います。

日記にもしばしば自分のことを「ひが者〔ひねくれ者〕」と書いていますし、仲間からは「物つつみの君《きみ》〔引っ込み思案な子〕」とも呼ばれるようになります。もともと内気な性格であった一葉は、こうした環境にいっそう内向的になり、内心にさまざまな思いを抱くようになったのでしょう。一葉の愛読していた『徒然草《つれづれぐさ》』の言葉を借りれば、まさに「おぼしき事言はぬは腹ふくるるわざ〔思ったことを言わずにいると、お腹が張ってくるようで気持ちが悪い〕」で、それが日記の執筆にもつながったと思われます。

歌と小説

萩の舎では毎週土曜日に稽古《けいこ》がおこなわれ、宿題の歌が添削《てんさく》されたり、その席で出された題について詠んで各自の歌を批評しあったりします。月に一度の月次《つきなみ》歌会があり、これには門人のほかに著名な歌人たちも参加したりしました。また年の初めには発会と年の終わりの納会《のうかい》があり、ときに中島歌子による『源氏物語』などの古典の講義もありました。

萩の舎における歌作の修練方法は、旧式の伝統的なもので、題詠が中心でした。題詠は与えられた題にそくして歌を詠むのですが、基本的な技法や知識を身につければ、ある程度の水準に達することはむずかしくありません。が、固定化した美意識に枠《わく》づけられて、独創的な面白味《おもしろみ》に欠けた作品になりがちです。たとえば、「身のふる衣」で最高点をとった一葉の歌は次のようなものでした。

月前柳《つきまえのやなぎ》

打なびくやなぎを見ればのどかなるおぼろ月夜も風は有《あり》けり

〔揺れうごく柳の枝を見れば、のどかに見えるこの朧月夜《おぼろづきよ》にも風があるのだなあ〕

たどたどしさを残しながらも、言葉のつらなりはなめらかで、ひとつの情景をくっきりと浮かびあがらせています。とても十四歳の少女が詠んだ歌とも思われません。しかし、ここから作者の内面をうかがうことはむずかしいでしょう。

歌人としての一葉にこうした旧派の題詠といった修練が、さほど大きな成果をもたらしたとは思われません。が、小説家として立つためには有効なひとつの訓練方法だったといえるかもしれません。というのは、題詠は、与えられた題にそって自己の想念のうちにひとつの虚構《きょこう》空間を構築し、そこに自己の体験や想像などを仮託《かたく》するかたちで詠まれるからです。ある意味でそうした方法は小説の作り方とも似ているでしょう。

一八八八年四月、一葉が十六歳のときに詠んだ「恋百首」という作品があります。文字どおり百首の恋の歌が詠まれているのですが、この時期に一葉が恋をしていて詠んだというわけではありません。「草花百首」といった作品と同様に、詠みかたに慣れるための稽古につくられたものです。

そこに「片恋」と題して、こんな一首があります。

かく斗《ばかり》思ふとだにも人しらばしなんいのちのかひは有けり

〔こんなにも思ってばかりいるとあの方が知ってくれたならば、死ぬ命にも甲斐《かい》があるというものだ〕

これは、のちに二十歳の一葉がはじめて世に問うた小説「闇桜《やみざくら》」のモチーフを先取りしているような歌です。「闇桜」は、一八九二年三月に、小説の師であった半井桃水《なからいとうすい》が創刊した雑誌「武蔵野《むさしの》」の創刊号に掲載されたものですが、隣《とな》り合ったふたつの家の二十二歳になる良之助《りょうのすけ》という青年と、十六歳の千代《ちよ》という一人娘との恋物語です。

ふたりは幼いころから兄妹のように仲よくしておりましたが、摩利支天《まりしてん》の縁日《えんにち》に連れだって出かけます。すると、千代は学校友だちに出会って、「おむつましいこと〔仲良しね〕」と冷やかされます。そのときから千代は良之助への恋を自覚することになりますが、それを打ちあけることができず、忍ぶ恋の苦しさから床《とこ》に臥《ふ》すようになってしまいます。

良之助が千代の心を知ったのは、千代の命も消えようとする間ぎわでした。千代は痩《や》せた指から指輪を抜き取って、これを形見に私と思って下さいといいます。軒端《のきば》の桜がほろほろと散り、鐘の音《ね》が悲しく響く夕闇どきでした。

まさに「かく斗《ばかり》思ふとだにも」という「かく斗」がどのようなものであったかということを小説化したような作品です。「人しらばしなんいのち」――相手に知られたならば恥ずかしく死んでしまうかもしれないという、ナイーブで、ロマンチックな恋。そんな乙女心が相手に通じ、生きた甲斐があったということを、和歌的な修辞《しゅうじ》をちりばめた王朝風の雅《みやび》やかな文体で綴《つづ》っています。

「武蔵野」に発表した第二作目の「たま欅《だすき》」は、ふたりの男から恋い慕《した》われたヒロインが、そのふたりの愛のはざまに苦悩《くのう》し、みずから死を決するという物語です。「闇桜」よりいっそう王朝和歌風の物語的な色彩の濃いものですが、これも「恋百首」のなかにある「両方恋」と題された、「などてかくひとつ心を玉だすき二方《ふたかた》にしも思ひかけけん［どうしてこのように一つしかない心を、両方の腕にかける襷のようにお二方に思いをかけることができましょうか］」という歌をそのまま小説化したような作品です。

婚約破棄

十七歳を迎えた一八八九年には、父親の死去と、一葉にとってもうひとつの忘れられない大きな出来事として、渋谷《しぶや》三郎《さぶろう》との婚約の破棄がありました。

渋谷三郎は、一葉の父母が江戸へ駆け落ちしたおりに頼った真下専之丞の庶子《しょし》に生まれた子で、真下の孫にあたります。一葉は青海学校を退学して、親の知人の妻のもとに和裁の稽古に通いましたが、そこで渋谷三郎に出会いました。一葉が十三歳、三郎は十八歳のときでした。

その後、三郎は樋口家に出入りして、一葉とも隔《へだ》てなく話をし、邦子と三人で寄席《よせ》にいったりもしております。父の則義は、三郎を一葉の聟《むこ》にと希望し、ふたりの結婚話はすでにまとまったものと思って亡くなりました。

則義は、亡くなる直前に仲間たちと荷車請負業組合を設立しましたが、その事業に失敗し、多額の出資金を失っております。ここに樋口家が急速に窮迫《きゅうはく》していった原因があったわけですが、その父の死後、一葉は戸主として一家を支えてゆかねばなりませんでした。

三郎は、父の没後に「利欲にかゝはりたること」をいいだし、母のたきが非常に立腹して、この一葉と三郎の結婚話は破談となりました（日記「しのふくさ」一八九二年九月一日）。一葉は「我《われ》もとより是《こ》れに心の引かるゝにも非《あら》ず（自分はもともとこの結婚話に心を引かれていたわけではない）」と、平静をよそおっていますが、内心には大きな衝撃をうけたものと思われます。

渋谷三郎は東京専門学校（現在の早稲田大学）を卒業し、官僚《かんりょう》の登竜門《とうりゅうもん》である高等文官試験に合格して、一八九一年に新潟三条区裁判所に判事補《はんじほ》として赴任《ふにん》しました。翌年には検事に昇進して月俸《げっぽう》五十円という身分となり、その年の八月二十二日、突然一葉のもとへ来訪しました。

その日の日記に一葉は、三郎の言葉として「自分は以前にあなたの家がこれほど窮乏《きゅうぼう》しているとは思わず、もっと裕福であると思って無理なことをいいだしましたが、今からすればとても気の毒なことをしたと心苦しくと思っています」ということを語ったと記しています。三郎は、樋口家がこれほど困っているとは思わず、出世のためにもっと援助してもらえると思っていたのでしょう。

みずからの生活が安定した三郎は、このとき改めて一葉へ求婚するために来訪したようでした。が、知人を介して母のたきにその意向を問いただしたところ、プライドの高い母はそれをきっぱりと断ったといいます。しかし、一葉にはさまざまな思いが交錯《こうさく》したことでしょう。

渋谷三郎はその後、真下専之丞のもうひとりの庶子である阪本勝之丞の養子となり、新潟、水戸、東京地裁判事、東京控訴院《こうそいん》判事を歴任し、一八九七年にはドイツへ留学しています。帰国後には法制局参事官、秋田県知事、山梨県知事、早稲田大学法学部長および同理事を歴任し、幅広く活躍しました。

筒井筒の恋

よく知られているように、病気のため亡くなった一葉の生涯は非常に短いものでした。また発表した作品の数は、未完の作品を含めても二十二篇とさほど多いものではありません。それらを通読したとき、まず気づかされることは、筒井筒《つついづつ》の恋――幼なじみの男女の恋のモチーフが基調となった作品がきわめて多いということです。

筒井筒の恋のモチーフは、いうまでもなく『伊勢物語《いせものがたり》』第二十三段によったものです。筒型の井戸のもとで遊んだ幼なじみが大人になって、互いに意識して恥ずかしく思っておりましたが、男は女に「筒井つの井筒にかけしまろがたけ過ぎにけらしな妹《いも》見ざるまに〔筒井戸の井筒で背丈《せたけ》をはかった私の背も、あなたと会わないうちにきっとうんと高くなったでしょう〕」という歌を送ると、女の返歌に「くらべこし振分髪《ふりわけがみ》も肩すぎぬ君ならずしてたれかあぐべき〔あなたと長さを比べあった私の振分髪も、肩を過ぎるほどになり、いったいあなたのためでなく、誰のためにこの髪を結い上げましょうか〕」とあって、ふたりは願いどおりに結婚したというものです。

一葉の作品は、先に紹介した第一作の「闇桜」から、代表作の「たけくらべ」にいたるまで、『伊勢物語』の男女とは逆に、幼なじみの少年少女がその恋の破局にいたるという物語が中心になっております。おそらくこれには実体験が響いていると思われ、一葉にとっては渋谷三郎との婚約解消が、いかに大きく心に残る傷だったかということを想像させます。「闇桜」に次いで発表された「別れ霜《じも》」も、やはり幼なじみの許嫁《いいなずけ》による悲恋が描かれます。呉服商《ごふくしょう》の松沢と新田の両家は、もとは同じ家の本家と分家で、代々きわめて親密な関係にありました。が、新田家に入婿《いりむこ》した運平《うんぺい》は非常に野心家で、本家の松沢家を破産へ追い込んでしまいます。松沢家の一人息子芳之《よしの》助《すけ》(二十歳)と新田家の一人娘お高《たか》(十六歳)は許嫁でしたが、お高の父である運平によってその仲はひき裂かれ、いまでは芳之助は零落《れいらく》して人力車の車夫《しゃふ》をしています。

雪のある日、お高はたまたま芳之助の人力車に乗り合わせることになり、東京の街中を乗りまわし、とある料理屋の座敷に芳之助を招き入れます。芳之助を熱く慕《した》いつづけるお高の真情に、芳之助のそれまでの怒りは鎮《しず》められますが、将来に望みを抱けないふたりは心中《しんじゅう》を覚悟することになります。

幼なじみに裏切られて人力車の車夫に転落するという設定は、これも代表作の「十三夜」の録之《ろくの》助《すけ》と同じです。「十三夜」のヒロインお関《せき》は「十二の年より十七まで明暮《あけく》れ顔を合せる毎《ごと》に」、ゆくゆくは幼なじみの録之助と一緒になるものと思っていました。が、お関は器《き》量好《りょうごの》みの奏任官《そうにんかん》の原田勇《いさむ》に望まれて嫁《とつ》いでしまいます。その後、録之助は呑《の》んだくれて、財産を失い、車夫にまで転落するのです。

また「別れ霜」の松沢家と新田家の対立は、「たけくらべ」における、表町組《おもてまちぐみ》と横町組《よこちょうぐみ》という子どもたちのグループの対立を連想させます。美登利《みどり》と信如《しんにょ》という対立する両グループの男女が惹《ひ》かれ合うという構成は、そのままシェークスピアの「ロミオとジュリエット」にも通じるものがあります。

「花ごもり」においては法学士の瀬川与之助《よのすけ》が、両親を亡くして八歳のときから瀬川家に養われているお新《しん》と、ほとんど許嫁の関係にあります。が、与之助の母は有名な高官の娘が与之助との結婚を望むと、巧妙《こうみょう》に画策《かくさく》してその縁談を熱心に推し進め、お新を家から追い出してしまいます。

「やみ夜」には、みずから身を引くお新とは、まったく対照的に激情にかられるヒロインお蘭《らん》の姿が描き出されます。お蘭は、かつて許嫁でしたが自分を裏切った衆議院議員波崎《なみざき》漂《ただよう》を決して許すことができません。波崎はお蘭の父にさんざん恩を受けたにかかわらず、父が非業《ひごう》の死を遂げると、寄りつかなくなってしまいました。お蘭は波崎の乗る人力車にはねられて負傷した漂泊者《ひょうはくしゃ》の高木直次郎《なおじろう》を介抱し、直次郎に波崎の殺害を頼みます。

幼なじみの少年少女の恋の物語は、このほかにも「五月雨《さみだれ》」「経づくえ」「ゆく雲」「うつせみ」など、直接的に描かれないとしても、一葉作品の発想の根底において大きな役割を果たしています。一葉はのちに小説の師である半井桃水《なからいとうすい》に激しい恋情を抱くことになりますが、それにも劣らず、この十七歳での渋谷三郎との婚約破棄という出来事は精神的に大きな衝撃だったといっていいようです。

遊女となることを運命づけられた「たけくらべ」のヒロイン美登利は、「ゑゝ、厭《い》や厭《い》や、大人に成るは厭やな事、何故《なぜ》このやうに年をば取る」といいます。美登利の運命を知る遊び仲間の少年は、「十六七の頃までは蝶よ花よと育てられ」という、当時の流行した歌の文句を口ずさみますが、十七歳で父に死なれて人生の荒波に乗り出さなければならなかった一葉にとって、まさにこれは実感のこもった言葉だったでしょう。

小説家への道

父の四十九日過ぎに一葉たちは、先にもちょっと触れました、分籍された次兄の虎之助が住む芝区西応寺町《しばくさいおうじちょう》(現在の港区芝)に同居しました。しかし一葉は稽古も思うようにできないので、師の中島歌子も同情し、萩の舎に住み込むことになりました。が、萩の舎では内弟子とはいうものの、下女《げじょ》(家政婦)のように台所をはじめとするさまざまな家事をこなさなければならなかったので、五ヶ月で切りあげました。

また虎之助と母との折合いも悪く、争いが絶えなかったといいます。一八九〇年九月、一葉は母たきと妹邦子と女三人で、本郷の菊坂《きくざか》に一戸を構え、針仕事、着物の洗い張りなどで生計を立てはじめます。中島歌子はどこかの女学校の教師に推薦《すいせん》するといってくれますが、学歴のない一葉にはなかなかむずかしいことでした。

一葉は目が悪く、またすぐに肩が凝《こ》るので、思うように針仕事もできませんでした。このころから小説家として立つことを決意して、習作を書きはじめます。それには一八八八年六月に、萩の舎の先輩の田辺花圃《かほ》が『藪《やぶ》の鶯《うぐいす》』という小説を書き、金港堂《きんこうどう》から刊行して、稿料として三十三円二十銭《せん》を得たということが大きな刺激になっていたようです。

この三十三円二十銭が現在の貨幣《かへい》価値でいくら位になるかというと、生活形態が大きく変わってしまった今日、何を指標とするかによって金額が大きく変わります。したがって、なかなか決めがたいところですが、一葉の研究者の和田芳恵《わだよしえ》によれば、当時の女三人の樋口家の一ヶ月の生活費はだいたい七円前後だったといいます(『樋口一葉伝——一葉の日記』)。ですから、樋口家が四ヶ月から五ヶ月くらい生活できる金額に相当していました。

花圃は当時、東京高等女学校に在学中の二十歳でしたが、新しい小説として話題になっていた坪内逍遥《つぼうちしょうよう》の『当世書生気質《とうせいしょせいかたぎ》』を読んで、これなら自分でも書けると思って筆を取ったといいます。前章で谷崎潤一郎が、他家の世話になり、家事の手伝いをしながら勉学をつづける書生になったといいましたが、ここでの書生は一般的な意味での学生であり、逍遥の小説は当時まだ珍しかった大学生の生活ぶりを描いたものです。その影響を受けて書かれた『藪の鶯』は、『当世書生気質』の女性版ともいえるような、明治期の女学生の生態を描いた小説でした。

花圃の『藪の鶯』に刺激され、一葉も小説を書くことで収入の道をひらこうと考えましたが、何を、どう書いたらいいのか、見当もつかずに、なかなか思うようにはゆきません。そんな折に、妹の邦子の友人が「東京朝日新聞」に連載小説を書いていた半井桃水《なからいとうすい》を知っているということで、その紹介で桃水に師事することになりました。

覚悟と天命

先にも述べたように、一葉がはじめて作品を発表したのは、一八九二年三月に半井桃水が創刊した雑誌「武蔵野」に、「闇桜」を載せたことによってです。それまでのあいだ、なかなか思うように作品が書けず、一時は絶望的になって、みずから死を考えたほどでした。

一葉は日記や小説の草稿の他に、雑記やメモなどの文書をたくさん残しています。十九歳の一八九一年十一月から起筆された「森のした草一」と題された感想・聞書《ききがき》を記したノートには、その末尾に次のような感想が記されております。現代語訳をまじえながら紹介してみましょう。

「小説のことに従事し始めて、一年にも近くなりぬ。いまだよに出したるものもなく、我《わ》が心ゆくものもなし」。親兄妹からは、お前は思い切りが悪く、過ぎ去ったことばかりを顧《かえり》みているので、こんな風に月日ばかり経ってしまうんだ、名人上手といわれるひとも、初作から世にもてはやされるものではないだろう、批難《ひなん》されてこその評価も決まるのだと繰り返しせめられる。自分が思うには、はかない戯作《げさく》のとりとめもない仕事であるが、自分が筆を執《と》って書いているのは、真実のことである。衣食のため、雨露《あめつゆ》をしのぐために書いているのだといっても、拙《つたな》いものは誰が見ても拙いと見えるだろう。自分が筆を執る以上は、おおかたの世の作者のように、一度読んでしまったら屑籠《くずかご》に投げ入れられるようなものは、決して書くまい。人情が浮薄《ふはく》で、今日喜ばれているものが、明日は捨てられる世の中だといっても、真情に訴え、真情を写したならば、わずか一枚の戯著《ぎちょ》であっても、どうして価値がないといえよう。自分は錦《にしき》の衣を望むものではないし、立派な御殿《ごてん》に住みたいと願うものでもない。千載《せんざい》[千年]に残そうとする名を、どうして一時の栄達《えいたつ》のために汚すことができようか。「一片の短文三度稿をかえて而《しか》して世の評を仰がんとするも、空《むな》しく紙筆のつひへに終らば猶《なお》天命と観《かん》ぜんのみ〔ほんの短い一篇の小説のために三度も書き直して世の人々からの批評を受けようとして、紙と筆のムダ使いに終わってしまったとしても、それは天命として受け入れるしかない〕」。

まさに一葉はこうした覚悟をもって文学に従事し、それこそいい表わすことができないほどの苦渋《くじゅう》を舐《な》めながら、努力に努力を重ねて、自己の文学世界を構築していったのです。それはまさに「天命」としかいいようがないかもしれません。

奇蹟の十四ヶ月

思うように原稿を書くことがなかなかできない一葉は、一八九三年七月に下谷区《したやく》竜泉寺町《りゅうせんじまち》（現在の台東区竜泉）に引っ越し、雑貨や子ども相手に駄菓子《だがし》を売る店をはじめます。「たけくらべ」の舞台となった場所ですが、商売もなかなかうまくいかず、そこも一年足らずで店をたたみ、翌九四年五月には本郷丸山福山町《まるやまふくやまちょう》（現在の文京区西片）へ転居しています。

この時期の一葉は経済的に困窮《こんきゅう》し、生き抜くことに精いっぱいでした。が、それでもこれまで書きつづけてきた小説が、「文学界」同人の若い文学者たちの眼にとまるようになります。「文学界」は明治のロマン主義文学の先駆《せんく》をなした文芸雑誌です。西洋文学の素養をもつ青年たちとの交流から刺激をうけた一葉は、うちに秘めた文学的才能を一気に開花させることになります。

ことに一八九四年十二月に発表された「大つごもり」から、「にごりえ」「十三夜」「わかれ道」「たけくらべ」の五作品が書かれた九六年一月までの十四ヶ月間は、一葉研究者の和田芳恵によって「奇蹟《きせき》の十四ヶ月」と呼ばれています。この十四ヶ月間に一葉は文学史に、それこそ「千載」にその名を残すような傑作《けっさく》を集中的に書いたのでした。

「たけくらべ」が完成すると、森鷗外《もりおうがい》は雑誌「めさまし草《ぐさ》」の「三人冗語《さんにんじょうご》」（鷗外、幸田露伴《こうだろはん》、斎藤緑雨《さいとうりょくう》の三人による新作小説を批評する欄《らん》）に取りあげ、「縦令《たとい》世の人に一葉崇拝の嘲《あざけり》を受けんまでも、此人《このひと》にまことの詩人という称をおくることを惜《おし》まざるなり」と、これ以上の褒《ほ》め言葉もないと思われるほどに絶賛しました。やっと一葉のこれまでの努力が報われたのです。

しかし、一葉の名声が頂点に達し、これからいっそうの活躍が期待されるという時期に、一葉の健康はすでにむしばまれておりました。死の九ヶ月前の日記「みづの上」には、「しばし文机《ふづくえ》に頬《ほお》づえつきておもへば、誠《まこと》にわれは女成《なり》けるものを、何事のおもひありとて、そはなすべき事かは」（一八九六年二月二十日）と記しております。

一葉は、机に頬づえをつきながら、本当に自分は女であったのだ、どのような思いがあるとしても、結局それは果たせることではないのだと、明治時代に女戸主として生きた女性の生きづらさを吐露《とろ》しています。こうした思いを抱きながら、一葉は肺結核《はいけっかく》によって一八九六年十一月二十三日に、二十四歳七ヶ月の短い生涯を閉じました。

第六章
夏目漱石

「我々はポテンシャル、
エナージーを養うんだ」

【夏目《なつめ》漱石《そうせき》】

一八六七―一九一六年（慶応三―大正五）。本名は金之《きんの》助《すけ》。江戸生まれ。二歳の時に塩原昌《しおばらまさ》之助《のすけ》の養子に出されたが、のちに復籍《ふくせき》。大学予備門を経て、帝国大学英文科を卒業。愛媛《えひめ》県尋常《けんじんじょう》中学校（のちの松山中学校）、熊本の第五高等学校で教鞭《きょうべん》をとり、一九〇〇年に文部省留学生として英国に留学。帰国後、一高、東京帝大で講師を勤めるかたわら、一九〇五年に「吾輩《わがはい》は猫である」で小説の筆を執《と》りはじめる。以後、「坊っちゃん」「草枕《くさまくら》」などの作品で注目を浴び、一九〇七年に教職を辞して、一年に一つ長篇小説を書くという約束で朝日新聞社に入社。「虞美人草《ぐびじんそう》」「三四郎」「それから」「門」など本格的な作家活動を展開。明治末には胃潰瘍《いかいよう》で喀血《かっけつ》して一時危篤《きとく》状態となったが、その後も「彼岸過迄《ひがんすぎまで》」「行人《こうじん》」「こころ」「道草」など、人間の内面を鋭くえぐる作品を書きつづけた。「明暗」執筆中に胃潰瘍の発作を起こして死去した。

前ページの写真は大学三年の頃

慶応三年生まれの作家たち

夏目漱石は、一八六七（慶応三）年一月五日（旧暦。新暦では二月九日。137ページ参照）に江戸牛《うし》込《ごめ》馬《ば》場《ば》下横町《したよこまち》、現在の東京都新宿区喜《き》久《く》井町《いちょう》に生まれました。営団地下鉄の早稲田駅の早稲田大学文学部キャンパス寄りの出入口を出てすぐのところです。漱石は随筆《ずいひつ》「硝子戸《ガラスど》の中《うち》」では「町とは云《い》い条《じょう》〔いっても〕、其実《そのじつ》小さな宿場《しゅくば》としか思われない位《くらい》、小《こ》供《ども》の時の私には、寂《さび》れ切って且《かつ》淋《さむ》しく見えた」辺鄙《へんぴ》なところだった、といっております。

漱石が生まれた一八六七年は、徳川の最後の将軍慶喜《よしのぶ》によって大政奉還《たいせいほうかん》された年です。翌年には王政復古の大号令が出されました。江戸が東京と改称され、元号も明治と改められました。漱石の満年齢は、みごとに明治の年号と一致しています。

上を下へと日本国中が大混乱した、この一八六七年に生まれた作家には、漱石のほかに尾《お》崎《ざき》紅葉《こうよう》、幸田《こうだ》露《ろ》伴《はん》、正岡《まさおか》子《し》規《き》などがおります。漱石が小説の筆を執りはじめたのは遅かったのですが、紅葉、露伴、子規は、いずれも日本の近代文学の生成期に活躍し、日本近代文学史の骨格づくりに大きな役割を果たした大家です。

一般に日本の近代文学は、一八八五(明治十八)年に坪内逍遥《つぼうちしょうよう》が発表した、西洋文学を参考に新しい時代の小説を論じた文学理論書『小説神髄《しょうせつしんずい》』の刊行にはじまるといわれています。そして、これに影響を受けた二葉亭四迷《ふたばていしめい》が、一八八七年に悩める青年の内面を描いた小説『浮雲《うきぐも》』を出版することで、その確実な一歩が踏み出されました。

尾崎紅葉は、十八歳の一八八五年に山田美妙《やまだびみょう》らの友人と文学結社の硯友社《けんゆうしゃ》を結成し、「我《が》楽多《らくた》文庫」を創刊しています。「我楽多文庫」は、はじめ仲間うちの遊戯的《ゆうぎてき》な要素が強い筆写回覧本でしたが、やがて文学性を高め、活字本となり、さらに一般にも販売されるようになりました。一八八九年に紅葉は、出世作『二人比丘尼《ににんびくに》 色懺悔《いろざんげ》』を刊行します。それ以後、一九〇三年に亡くなるまで、『金色夜叉《こんじきやしゃ》』などのヒット作を次々に発表し、明治の文学界のトップをつねに走りつづけました。

幸田露伴は、幕府で諸大名の世話係をする表御坊主衆《おもておぼうずしゅう》の家柄に生まれましたが、一八八三年の十六歳のときに電信修技学校の給付生となりました。学費免除の給付生は修学期間一年、卒業後の中央電信局での研修期間一年、さらに三年間は電信局に勤めなければならないという決まりになっており、一八八五年に北海道の余市《よいち》に赴任《ふにん》しました。

この北海道時代に、逍遥の『小説神髄』や当時の学生の日常を描いた小説『当世書生気質《とうせいしょせいかたぎ》』などの新文学に触れ、文学への情熱を激しく掻《か》き立てられました。一八八七年夏、露伴は居ても立ってもおられず、職務を放棄《ほうき》して、東京へ帰ってきました。一八八九年に小説『露団々《つゆだんだん》』『風流仏《ふうりゅうぶつ》』を刊行して、一躍文壇《いちやくぶんだん》の寵児《ちょうじ》となり、人気を紅葉と二分します。

正岡子規《まさおかしき》は松山に生まれ、一八八四年に漱石と同じ年に大学予備門に入学しています。大学予備門とは、一八七七年に東京大学に附属させて設立された大学の準備課程にあたる学校です。東京大学へ進学するものは、すべてここを通らなければならないことになっていました。一八八六年に第一高等中学校となり、一八九四年には第一高等学校と改称されました。

漱石と子規は、入学後しばらくは付き合う友だちのグループが別々で、ほとんどつきあいがなかったようです。が、一八八九年一月にふたりは寄席《よせ》の話で意気投合し、親しく交際しはじめ、生涯にわたって影響しあうことになりますが、この子規も逍遥からの影響を大きく受けたひとりでした。

子規は随筆『筆まかせ』の「小説の嗜好《しこう》」で、「日本の小説は皆こんな物〔江戸時代の滝沢馬琴《ばきん》の豪傑《ごうけつ》物語や『梅暦《うめごよみ》』などの人情本」と思ひし折《おり》から書生気質《しょせいかたぎ》の出板《しゅっぱん》ありしかば余は飛びたつ如《ごと》く面白《おもしろ》く思ひ　斯《か》くの如き小説も世にはありけるよと幾度《いくど》も読み返してあくことを知らざりき」といっています。

その刺激を受けて子規も小説に意欲をもやし、「月の都」という作品を書いて、露伴に見てもらったところ、かなり辛《から》い点をつけられたといいます。自己の才能が小説に向かないことを悟った子規は、それ以後、俳句と短歌の革新《かくしん》に心血《しんけつ》を注ぎます。そして、漱石がイギリスに留学中の一九〇二年に若くして亡くなっております。

遅咲き作家の十七歳

漱石が小説の筆を執りはじめたのは、一九〇五年一月の「吾輩は猫である」からです。漱石は三十八歳になっておりましたが、紅葉、子規はもう自分たちの仕事を仕上げて、亡くなっております。

露伴はとても長寿で、亡くなったのは第二次世界大戦後の一九四七年でした。が、日露戦争後には文壇の一線からは退《しりぞ》いて、小説の執筆はやめ、古典の考証《こうしょう》や中国文学の紹介、あるいは歴史をめぐる史論の仕事を展開するようになっていました。

そうした意味では、漱石は非常に遅咲きの作家でした。それゆえに同世代の作家たちが苦心して切り拓《ひら》いた文学の道のうえに自己の仕事をなし遂《と》げて、日本近代の文学を確立させることができたわけです。

これまで本書に取りあげた太宰治、宮沢賢治、芥川龍之介、谷崎潤一郎、樋口一葉は、みてきたように、十七歳のときには何らかのかたちで自己の思念を文字にうつして、表現意欲を満たそうと努力していました。また先ほど紹介したように、紅葉、露伴、子規などの同世代の作家たちも十七、八歳のときに自己の将来の針路《しんろ》を決めて、動きだしております。

しかし、漱石にはそうした気配がいっこうにありません。先にもいったように、一八八四年の十七歳のときに、漱石は子規と同時に大学予備門に入学しています。漱石との交際はありませんでしたが、ひとつ年下の山田美妙も同じこの年に入学し、先輩の尾崎紅葉と一緒に硯友社を結成しております。

子規にしろ美妙にしろ、ふたりは予備門入学以前から作家として立つための努力を重ねております。漱石は好きな漢詩などは作っておりましたが、いまだ将来の指針といったものは、これといって決めかねていたようです。

ポテンシャル、エナージー

漱石は談話「一貫《いっかん》したる不勉強――私の経過した学生時代」において、「私の学生時代を回顧《かいこ》して見ると、殆《ほと》んど勉強と云う勉強はせずに過《すご》した方である」と語っております。大学予備門入学について、満州《まんしゅう》への旅行記「満韓《まんかん》ところどころ」のなかで、偶然に満州で橋本左《はしもとさ》五郎《ごろう》という同級生と再会し、次のようなエピソードを披露《ひろう》しています。

橋本左五郎とは、明治十七年の頃、小石川《こいしかわ》の極楽水《ごくらくみず》の傍《そば》で御寺《おてら》の二階を借りて一所《いっしょ》に自炊《じすい》をしていた事がある。〔中略〕余《よ》は此処《ここ》で橋本と一所に予備門へ這入《はい》る準備をした。橋本は余よりも英語や数学に於《おい》て先輩であった。入学試験のとき代数が六《む》づかしくって途方《とほう》に暮れたから、そっと隣席の橋本から教えて貰《もら》って、其御蔭《そのおかげ》でやっと入学した。所《ところ》が教えた方の橋本は見事に落第した。

橋本は、いわゆる受験生の下宿生活のルームメイトだったわけですが、その後の追試験に及第《きゅうだい》したといいます。が、結局、札幌《さっぽろ》農学校（現在の北海道大学）へ進み、再会した当時は東北帝国大学農科大学教授でした。漱石は一九〇九年に、やはり大学予備門での同級生だった南満州鉄道（満鉄）総裁《そうさい》の中村是公《なかむらよしこと》の誘いで、この中国東北部の満州および朝鮮半島への旅に出たわけですが、橋本は満鉄の依頼で蒙古《もうこ》の畜産事情を調査して、ちょうど大連《だいれん》に戻ったところでした。

なお「満韓ところどころ」には、大学予備門時代の思い出が、次のように懐《なつ》かしそうに語られています。

其頃《そのころ》は大勢で猿楽町《さるがくちょう》の末富屋という下宿に陣取《じんど》っていた。此同勢《このどうぜい》は前後を通じると約十人近くあったが、みんな揃《そろ》いも揃った馬鹿《ばか》の腕白《わんぱく》で、勉強を軽蔑《けいべつ》するのが自己の天職であるかの如《ごと》くに心得ていた。下読《したよみ》［予習］抔《など》は殆《ほと》んど遣《や》らずに、一学期から一学期へ辛《かろ》うじて綱渡《つなわた》りをしていた。英語は教場で中《あ》てられた時に、分《わか》らない訳《やく》を好《い》い加減《かげん》に付ける丈《だけ》であった。数学は出来る迄途板《までボールド》〔黒板〕の前に立っているのを常としていた。余の如きは毎々一時間ぶっ通しに立往生《たちおうじょう》をしたものだ。みんなが、代数書を抱えて今日も脚気《かっけ》になるかなど云《い》っては出掛《でかけ》た。

こう云う連中だから、大概《たいがい》は級の尻の方に塊《かた》まって、何時《いつ》でも雑然《ざつぜん》と陳列《ちんれつ》されていた。余の如きは、入学の当時こそ芳賀矢一《はがやいち》〔国文学研究の草分けで、のちに東京帝国大学教授〕の隣に坐《すわ》っていたが、試験のあるたんびに下落して、仕舞《しまい》には土俵際《どひょうぎわ》からあまり遠くない所でやっと踏み応《こた》えていた。それでも、みんな得意であった。級の上にいるものを見て、なんだ点取《てんとり》がと云って威張《いば》っていた位《くらい》である。そうして、稍《やや》ともすると、我々はポテンシャル、エナージーを養うんだと云って、無闇《むやみ》に牛肉を喰って端艇《ボート》を漕《こ》いだ。

今日の私たちからは、漱石というと神経質で、謹厳実直《きんげんじっちょく》な堅物《かたぶつ》というイメージがあるかもしれません。が、青春時代の漱石は、意外と羽目《はめ》をはずした、やんちゃなスポーツ好きな青年で、「ポテンシャル、エナージーを養う」のに忙しかったようです。

小さな一個の邪魔物

漱石という人物と文学を知るためには、どうしても幼少期の養子問題に触れなければなりません。漱石の父の小兵衛《こへえ》直克《なおかつ》は名主《なぬし》(江戸時代に村内の民政をつかさどった役人)で、漱石が生まれたときにはすでに五十歳、母の千枝《ちえ》は後妻で、四十一歳でした。

生まれた日の干支《えと》は庚申《こうしん》にあたり、申《さる》の日の申の刻《こく》に生まれたといいます。その生まれのものは、たいへん出世するか大泥棒《おおどろぼう》になると言い伝えられ、その難を避けるためには名前に「金」にまつわる字をつければいいということで、金之助《きんのすけ》と命名されました。

漱石には母が異なるふたりの姉と、同じ母から生まれた三人の兄がおり、生まれ落ちると間もなく里子に出されました。「硝子戸《ガラスど》の中《うち》」に漱石は、「私は両親の晩年になって出来た所謂《いわゆる》末ッ子である。私を生んだ時、母はこんな年歯《とし》をして懐妊《かいにん》するのは面目《めんぼく》ないと云《い》った」といいます。漱石は生後間もなく、四谷《よつや》の古道具屋に里子に出されました。

「私は其《その》道具屋の我楽多《がらくた》と一所《いっしょ》に、小さい笊《ざる》の中に入れられて、毎晩四谷の大通りの夜店《よみせ》に曝《さら》されていたのである」(「硝子戸の中」)と書いています。ある晩、姉がそこを通りかかったときに見つけて、かわいそうに思ったのか、「懐《ふところ》へ入れて宅《うち》へ連れて来た」といいます。

それから間もなく、今度は養子に出されました。一八六八年十一月ごろに名主仲間であった塩原昌之助、やす夫婦の養子になって、同家に引き取られています。養父母は幼い漱石を溺愛《できあい》したといいますが、昌之助に愛人ができると、夫婦仲は険悪なものとなり、喧嘩《けんか》がたえなかったといいます。

一時、漱石は養母のやすと一緒に夏目家に引き取られましたが、結局離婚ということになり、漱石は塩原家に戻っています。漱石は浅草寿町《あさくさことぶきちょう》にあった戸田学校へ入学し、下等小学第四級までを終え、塩原姓のまま再び夏目家に引き取られて、市ケ谷《いちがや》にあった市谷学校へ転校しています。その後、神田猿楽町《かんださるがくちょう》の錦華《きんか》学校へ移って小学校課程を終えましたが、漱石はこの養子の経験をのちに『道草』という小説に書いております。

養家から実家へ引き取られた当初は、両親を祖父母と思い込んで、「相変《あいかわ》らず彼等《かれら》を御爺《おじい》さん、御婆《おばあ》さんと呼んで毫《ごう》も怪《あや》しまなかった」(「硝子戸の中」)といいます。そして、実家に引き取られた遠い記憶を呼び覚ましながら、漱石自身をモデルとしている『道草』の主人公健《けん》三《ぞう》は次のようにいいます。

実家の父に取っての健三は、小さな一個の邪魔物《じゃまもの》であった。何しに斯《こ》んな出来損《できそこな》いが舞い込んで来たかという顔付《かおつき》をした父は、殆《ほと》んど子としての待遇《たいぐう》を彼に与えなかった。今迄《いままで》と打って変《かわ》った父の此《この》態度が、生《うみ》の父に対する健三の愛情を、根こぎにして枯らしつくした。彼は養父母の手前始終《しじゅう》自分に対してにこにこしていた父と、厄介物《やっかいもの》を背負《しょ》い込んでからすぐ慳貪《けんどん》に〔非情に〕調子を改めた父とを比較して一度は驚ろいた。次には愛《あい》想《そ》をつかした。然《しか》し彼はまだ悲観する事を知らなかった。発育に伴《とも》なう彼の生気は、いくら抑《おさ》え付けられても、下からむくむくと頭を擡《もた》げた。彼は遂《つい》に憂鬱《ゆううつ》にならずに済んだ。

漱石は夏目家にとって実に「小さな一個の邪魔物」だったのです。が、幼い漱石には、いまだそうした自己認識は認知されず、抑えても抑えてもむくむくと頭をもたげる「発育に伴なう彼の生気」が、それを消しとばしてくれました。

ここに漱石のいう「発育に伴なう彼の生気」とは、「ポテンシャル、エナージー」とほぼ同義語といっていいでしょう。幼少時の境遇にその根をもつ「小さな一個の邪魔物」といった負の自己意識を、羽目をはずして馬鹿騒ぎして「ポテンシャル、エナージーを養」った大学予備門時代までは、もつことをせずに済んだといえます。が、文学者として立つことになる漱石にとって、これは決定的に重い意味をもつことになります。

遠回りの学歴

一八七九年三月、漱石は東京府立第一中学校の正則科《せいそくか》に入学しました。談話「落第」において漱石は、「学校は正則と変則とに別れて居《い》て、正則の方は一般の普通学をやり、変則の方では英語を重《おも》にやった」といっています。

漱石が入学したのは正則でしたが、大学予備門へ入るためには英語を学ばなければならないので、卒業しても英語を勉強しなおさなければならなくなります。それではつまらないということで、二年ほどして退学してしまいました。

一八七二年に「学制」が公布されましたが、前章でもいったように、漱石が学校教育をうけたのは、ちょうど学校制度を整えようと、さまざまな試行錯誤《しこうさくご》がおこなわれた時期にあたります。ですから、小学校から大学までめまぐるしく制度が変更されました。それに翻弄《ほんろう》されて遠回りの学歴を歩むようになったのは、漱石ばかりではなかったようです。

大学予備門入学のためには英語が必要でしたが、どういうわけか中学校を退学した漱石は、一年ばかり麹町《こうじまち》の漢学塾、二松学舎《にしょうがくしゃ》（現在の二松学舎大学）に通って、漢学の勉強をしています。談話「落第」では、その辺の事情を次のように述べています。

元来《がんらい》僕は漢学が好《すき》で随分《ずいぶん》興味を有《も》って漢籍《かんせき》は沢山《たくさん》読んだものである。今は英文学などをやって居るが、其頃《そのころ》は英語と来たら大嫌いで手に取るのも厭《いや》な様《よう》な気がした。兄が英語をやって居たから家では少し宛《ずつ》教えられたけれど、教える兄は癇癪持《かんしゃくもち》、教わる僕は大嫌いと来て居るから到底《とうてい》長く続く筈《はず》もなく、ナショナルの二（英語の教科書『ナショナル・リーダー』の第二巻）位《ぐらい》でお終《しまい》になって了《しま》ったが、考えて見ると漢籍許《ばか》り読んで此《こ》の文明開化の世の中に漢学者になった処《ところ》が仕方なし、別に之《これ》と云《い》う目的があった訳《わけ》でもなかったけれど、此儘《このまま》で過《すご》すのは充《つま》らないと思う処《ところ》から、兎《と》に角《かく》大学へ入って何か勉強しようと決心した。

漱石は大学予備門へ入るために好きな漢籍を一冊残らず売って、駿河台《するがだい》にあった成立学舎《せいりつがくしゃ》というところで、一年ばかり夢中になって英語を勉強したといいます。それで一八八四年に子規や美妙らと一緒に大学予備門へ入学したのですが、同じように中学校を中退して三田英学校というところで受験勉強した紅葉は、一年早く一八八三年に大学予備門へ入学しております。

大学予備門時代には成立学舎出身のものが「十人会」なるグループをつくっていたといいます(太田達人「予備門時代の漱石」)。ちなみに成立学舎の出身ではなかったのですが、中村是公も参加していました)。先に引用した「満韓ところどころ」に記されたように、この時期には勉強はそっちのけの無軌道《むきどう》ぶりを示したり、江ノ島への徒歩旅行をするなど大いに青春を楽しんだようです。

当時の大学予備門は予科三年、本科が二年の五年でした。一八八六年に中学校令によって第一高等中学校と改称されましたが、漱石は一八八六年に進級に失敗して原級にとどまり、予科に四年、本科に二年在籍して、第一高等中学校を卒業、一八九〇年に帝国大学文科大学英文学科に入学しています。

「十人会」のメンバー．前列左から２人目が漱石(1886年)

落第

談話「落第」では、落第にいたった事情を次のように説明しています。

予科の方は三級、二級、一級となって居《い》て、最初の三級は平均点の六十五点も貰《もら》ってやっとこさ通るには通ったが、矢張《やは》り怠《なま》けて居るから何にも出来ない。恰度《ちょうど》僕が二級の時に工部大学と外国語学校が予備門へ合併《がっぺい》したので、学校は非常にゴタゴタして随分《ずいぶん》大騒ぎだった、それがだんだん進歩して現今《げんこん》の高等学校になったのであるが、僕は其時《そのとき》腹膜炎《ふくまくえん》をやって遂々《とうとう》二級の学期試験を受けることが出来なかった。追試験を願ったけれど合併の混雑やなんかで忙《せわ》しかったと見え、教務係の人は少しも取合《とりあ》って呉《く》れないので、其処《そこ》で僕は大《おおい》に考えたのである。学課の方はちっとも出来ないし、教務係の人が追試験を受けさせて呉れないのも忙しい為《ため》もあろうが第一自分に信用がないからだ。信用がなければ世の中へ立った処《ところ》で何事も出来ないから先《ま》ず人の信用を得なければならない、信用を得るには何《ど》うしても勉強する必要がある。と恁《こ》う考えたので、今迄《いままで》の様《よう》にウッカリして居ては駄目《だめ》だから、寧《いっ》そ初めからやり直した方がいいと思って、友達などが待って居て追試験を受けろと切《しき》りに勧めるのも聞かず、自分から落第して再び二級を繰返すことにしたのである。人間と云《い》うものは考え直すと妙なもので、真面目《まじめ》になって勉強すれば今迄少しも分らなかったものも瞭《はっ》然《きり》と分る様になる。前には出来なかった数学なども非常に出来る様になって、一日親睦《あるひしんぼく》会《かい》の席上で誰は何科へ行くだろう誰は何科へ行くだろうと投票をした時に、僕は理科へ行く者として投票された位《くらい》であった。元来《がんらい》僕は訥弁《とつべん》〔話し下手〕で自分の思って居ることが云えない性《たち》だから、英語などを訳しても分って居乍《いなが》らそれを云うことが出来ない。けれども考えて見ると分って居ることが云えないと云う訳《わけ》はないのだから、何でも思い切って云うに限ると決心して、其後《そのご》は拙《つたな》くても構わずどしどし云う様にすると、今迄は教場などで云えなかったこともずんずん云うことが出来る。恁《こ》んな風に落第を機としていろんな改革をして勉強したのであるが、僕の一身にとって此《この》落第は非常に薬になった様に思われる。若《も》し其時《そのとき》落第せず、唯誤魔化《ただごまか》して許り《ばか》通って来たら今頃は何《ど》んな者になって居たか知れないと思う。

非常に長い引用となりましたが、青春期の漱石の考え方が明確に語られていて興味深いものです。落第後の一八八七年一月末の「第一高等中学校一覧」によると、漱石は「予科第二級(英)二之組」で首席となっており、以後、卒業まで首席を通したといいます(荒正人『増補改訂　漱石研究年表』)。まさに落第が、漱石のその後の人生を大きく変えていったわけです。

なお引用文で漱石自身が若干《じゃっかん》誤解しているところもありますので、間違いを正しておきます。一八八五年に予備門の管轄《かんかつ》は帝国大学から文部省に移りましたが、そのとき東京外国語学校(現在の東京外国語大学)の独・仏語の二科が東京法学校予科とともに大学予備門に合併しております。

このとき東京外国語学校の露（ロシア）・清（中国）語の二科は東京商業学校（現在の一橋大学）の方に合併されることになり、露語科に学んでいた二葉亭四迷はそれに反対して退学してしまうことになります。漱石がいっている工部大学予科が合併したのは、翌一八八六年に予備門が第一高等中学校と改称されたときでした。

文学への関心

漱石は学生時代にどのようなことに関心をもち、将来どのような職業について、どんな仕事をやりたいと思っていたのでしょうか。学生時代に文学への関心がなかったかといえば、そうでもなかったようです。

談話「時機《じき》が来ていたんだ――処女作追懐談」において、「私も十五六歳の頃は、漢書や小説などを読んで文学というものを面白く感じ、自分もやって見ようという気がしたので、それを亡くなった兄に話して見ると、兄は文学は職業にゃならない、アッコンプリッシメントに過ぎないものだと云《い》って寧《むし》ろ私を叱った」といいます。

この漱石を叱った兄というのは、英語を教えてくれた長兄の大助で、一八八七年三月に肺結核で三十一歳の若さで亡くなっております。同じ年の六月には、やはり肺結核で次兄の直則が二十八歳で亡くなっております。

この相次いだ兄の死は漱石に大きな衝撃を与えましたが、塩原家から夏目家へ復籍するキッカケともなりました。夏目家の跡取《あとと》りの息子たちを次々に失った実父は、塩原姓のままになっていた漱石を、養育料として二百四十円支払い、夏目姓に戻したのでした。

文学は職業にならず、「アッコンプリッシメント」に過ぎないという「アッコンプリッシメント」とはaccomplishmentのことでしょう。一般的には遂行《すいこう》とか、業績とかいった意味ですが、古くは女性のたしなみ、教養といった意味もあったようで、悪口としては、生《なま》かじりの芸事《げいごと》、半可《はんか》通《つう》のしろうと芸を意味します。ここではいわゆる趣味の芸事といったような意味で使われているのでしょう。

それで、変人を自認していた漱石は、変人のままにできる仕事として建築家をめざしたといいます。周囲の友人からは理科に進むものとみられるほど理数にも強く、「世の中になくて叶《かな》わぬのみか、同時に立派な美術である」建築ならばやりがいがあると考えたというのです。談話「落第」でも、「僕は其頃《そのころ》ピラミッドでも建てる様《よう》な心算《つもり》で居た」といっております。

が、落第して同級となった米山保三郎《よねやまやすさぶろう》という友人から、「君は建築をやると云うが、今の日本の有様《ありさま》では君の思って居る様な美術的の建築をして後代《こうだい》に遺《のこ》すなどと云うことは、迚《とて》も不可能な話だ、それよりも文学をやれ、文学ならば勉強次第で幾《いく》百年幾千年の後に伝える可《べ》き大作が出来るじゃないか」(「落第」)といわれたといいます。

それで文学をやることに決めたが、国文や漢文なら別に研究する必要もない気がしたので、英文学を専攻することにしたといいます。「英文学を研究して英文で大文学を書こうなどと考えて居た」というのです。

漱石によれば米山保三郎は非常な秀才で、哲学科に進学しましたが、残念なことに夭折《ようせつ》してしまいました。漱石いわく「それこそ真性変物」(「時機が来ていたんだ――処女作追懐談」)で、「吾輩《わがはい》は猫である」に登場する苦沙弥《くしゃみ》先生の友人「天然居士《てんねんこじ》」のモデルとなった人物ですが、「同人如《ごと》きは文科大学あってより文科大学閉づるまでまたとあるまじき大怪物に御座候《ござそうろう》」(一八九七年六月八日付斎藤阿具《さいとうあぐ》宛書簡）といいます。米山から漱石は大きな感化をうけました。

明治の青春と漢詩文

一九〇六年六月、茨城県真壁郡下館町《いばらきけんまかべぐんしもだてまち》（現在の筑西市）で発行されていた文芸雑誌「時運」八号の漢詩欄に、「枕雲眠霞山房主人詩草《ちんうんみんかさんぼうしゅじんしそう》　文学士夏目漱石」として、八首の漢詩が掲載されています。この欄の選者である奥田必堂《おくだひつどう》（月城《げつじょう》）は漱石の少年時代の詩友で、漱石の成立学舎時代に親しく交際し、一時は下宿をともにしたこともあります。お互いに漢詩や漢文が好きで毎日作りあっていたといいます。

奥田は一八八三年に漱石と別れて、茨城県真壁郡の故郷へ帰りました。その翌年には漢方医術修業のため中国に渡り、のちにアメリカへ行って大学に入りましたが、一八九三年に日本に帰り、その後いわゆる大陸浪人として活躍したといいます（宮井一郎『詳伝　夏目漱石』上巻）。「時運」に掲げられた八首のなかには「送奥田詞兄帰国（奥田詞兄《しけい》の国に帰るを送る）」と題された一首もあります。したがって、これらの漢詩は一八八三年から翌年にかけて、おそらく郵便でもって互いにやり取りしたうちから、漱石の作品を抜き出したものと推測されます。十六、七歳ころのもので、確認されている漱石のもっとも早い作品です。

いま、『漱石全集』に付された読み下しとともに紹介すれば、次のとおりです。

鴻台　二首　　鴻《こう》の台《だい》

〔其《その》一〕

鴻台冒暁訪禅扉　　鴻台《こうだい》　暁《あかつき》を冒《おか》して　禅扉《ぜんぴ》を訪《と》う

孤磬沈沈断続微　　孤磬《こけい》　沈沈《ちんちん》　断続して微《かす》かなり

一叩一推人不答　　一叩《いっこう》　一推《いっすい》　人答えず

驚鴉撩乱掠門飛　　驚鴉《けいあ》　撩乱《りょうらん》　門を掠《かす》めて飛ぶ

〔夜が明けきらぬ市川の国府台《こうのだい》に禅寺を訪れた。案内を乞《こ》う鉦《かね》の音が切れ切れに微《かす》かに聞こえるが、扉を叩《たた》いても推《お》しても答える人はいない。驚いた鴉《からす》が門を掠《かす》めて飛ぶばかりである。〕

〔其二〕

高刹聳天無一物　　高刹《こうさつ》　天に聳《そび》えて　一物《いちぶつ》無く

伽藍半破長松鬱
当年遺跡有誰探
蜘網何心床古仏

伽藍《がらん》　半《なか》ば破れて　長松《ちょうしょう》鬱《うつ》たり
当年の遺跡《いせき》　誰《たれ》有りてか探《さぐ》らん
蛛網《しゅもう》　何の心ぞ　古仏を床《しょう》とす

〔天に聳《そび》える高い寺院のほかに一物もなく、伽藍は半ば破れ、背の高い松が鬱蒼《うっそう》としている。往年の遺跡を誰も訪ねて来たりはしない。蜘蛛《くも》の巣はどういうつもりで古仏にからんでいるのだろうか。〕

明治期の文学好きな少年は誰しも漢詩や漢文を書いて、友だちと見せ合うことを楽しみとしていたようです。尾崎紅葉も綏猷堂《すいゆうどう》という漢学塾に学び、十五歳のときに「穎才新誌《えいさいしんし》」という投稿雑誌に「柳眼《りゅうがん》」と題した漢詩を掲載しております。

幸田露伴は六歳のときから漢文学習の初歩である素読《そどく》（意味を考えず、文字のみを声に出して読むこと）をはじめ、一八七九年には漱石と同じ年に東京府立第一中学校へ入学しております。漱石と同じ正則科の方でしたが、漱石とは知りあう機会もなかったようで、一年ばかりで退学しています。その後、東京英学校（現在の青山学院大学）にも入学しましたが、迎曦塾《げいぎじゅく》という漢学塾に通って朱子学《しゅしがく》を学んでおります。

そして電信修技学校に入り、北海道へ赴任しますが、ちょうどその時期をカバーするように、「幽玄洞雑筆《ゆうげんどうざっぴつ》」という、やはり漢詩を主体とした詩文集を作っております。生前には未発表のまま筐底《きょうてい》にしまわれていましたが、若き日の露伴も自己の思いを漢詩に託していたわけです。

漱石が子規と心をゆるす友となったのも、寄席の趣味ばかりでなく、ふたりの漢詩文への共感を介してでした。子規は六歳のときから母方の祖父の大原観山《おおはらかんざん》から素読をうけ、十一歳のときに「聞子規〔子規（ほととぎす）を聞く〕」という題の漢詩をはじめて作り、以後、毎日ひとつずつ五言絶句を作って、漢学者の土屋久明《つちやきゅうめい》に添削《てんさく》を受けたといいます。

一八八九年、子規が友人たちに回覧した詩文集「七草集」の末尾に、漱石が九首の七言絶句の漢詩を付した漢文の評を書いています。その評は「詞兄《しけい》の文、情優にして辞寡《じすくな》く、清秀《せいしゅう》超脱《ちょうだつ》、神韻《しんいん》を以《もっ》て勝《まさ》る〔原文白文。詞兄たるあなたの文章は、情において優しく言葉は少ないですが、清新秀抜で超然と脱俗しており、霊妙なしらべによって優れています〕」と書き出され、読後の感想が丁寧《ていねい》に書き記されております。また漱石が「漱石」という号をはじめて用いたのも、この文章からです。

また漱石はこの「七草集」に刺激を受けて、同じ年の八月に友人たちと房州（現在の千葉県南部）に遊んだとき、紀行の漢詩文集「木屑録《ぼくせつろく》」をまとめました。子規はその末尾に評を付し、「吾《わ》が兄の如き者は、千万年に一人のみ。而《しこ》うして余は幸いにして咳嗽《がいそう》に接するを得《う》。豈《あ》に敬して之《これ》を愛す可《べ》からざらん哉《や》〔原文白文。私の兄のようなあなたは、千万年に一人出現するような人物で、自分は幸いにじかに交流することができて、どうして敬い愛せずにおられましょうか〕と、最大級の賛辞を呈《てい》しております。

明治という時代には、このように漢詩をたしなみ、漢詩文を介して友情をはぐくむことが一般的におこなわれました。こうした教養は大正・昭和では急速に廃《すた》れていきます。近代文学もなかなか読まれなくなってしまった今日においては、もはや絶無といっていいでしょう。時代によって私たちの嗜好《しこう》も大きく変化するということを如実に知らされます。

「鴻台」というこの十代の漱石の漢詩の出来映《できば》えについて論ずるほどの知識を私も持っておりません。ただ漱石は若い時期から、長い年月の流れに抗《こう》して建ちつづける古刹《こせつ》の孤高《ここう》なたたずまいに、悠久《ゆうきゅう》のなかに流れる時間というものを意識していたのだろうと推察するばかりです。

作家への道

漱石が帝国大学文科大学英文学科を卒業して大学院へ進学したのは、一八九三年の二十六歳のときでした。京都帝国大学が創設されたのが一八九七年ですから、当時は日本に大学はひとつしかありませんでした。漱石は卒業して、めでたく文学士となったわけですが、談話「時機が来ていたんだ――処女作追懐談」で次のようにいっています。

> 卒業したときには是《これ》でも学士かと思う様《よう》な馬鹿が出来上《できあが》った。それでも点数がよかったので人は存外信用してくれた。自分でも世間へ対しては多少得意であった。ただ自分が自分に対すると甚《はなは》だ気の毒であった。そのうち愚図々々《ぐずぐず》しているうちに、この己《おの》れに対する気の毒が凝結《ぎょうけつ》し始めて、体《てい》のいい往生《レシグネーション》となった。わるく云《い》えば立ち腐《ぐされ》を甘んずる様になった。其癖《そのくせ》世間へ対しては甚だ気焔《きえん》が高い。何の高山《たかやま》の林公抔《りんこうなど》と思っていた。

「高山の林公」とは、文学批評家として活躍した高山樗牛《ちょぎゅう》（本名は林次郎）のことです。樗牛は漱石の四歳年下ですが、一八九三年に帝国大学文科大学哲学科に入学し、翌年に「読売新聞」の懸賞《けんしょう》小説に応募した「滝口入道《たきぐちにゅうどう》」が入選、連載されて文名をあげました。その後、雑誌「太陽」の主幹《しゅかん》をつとめ、旺盛《おうせい》な評論活動を展開しました。

それにしても「自分が自分に対すると甚だ気の毒」という気持ちは、社会へ大きく打って出ようとするものならば、誰もが痛切に抱く感情でしょう。自分自身への気負いが大きければ大きいほど、現実の自分がたよりなく、歯がゆく感じられるものです。『道草』に語られていたように、幼いとき漱石は夏目家において「小さな一個の邪魔物」という意識を持っておりました。大学を卒業して学士となった今、社会へ打って出ようとする自分が、日本の社会にとって、あるいは国家にとって一個の「馬鹿」としか認識できないとしたならばどうでしょうか。

もはや若いときのように「ポテンシャル、エナージーを養う」べき、「発育に伴なう」がむしゃらな「生気」も持ちあわせません。「己れに対する気の毒が凝結し」て resignation

（諦念、あきらめ）の境地に達すればまだいいですが、「世間へ対しては甚だ気焔が高い（意気が盛んである）」ときては、気持ちが苛立《いらだ》って、神経衰弱《しんけいすいじゃく》にもなりかねません。

漱石は英語の教師として愛媛県尋常中学校（のちの松山中学校）に一年、熊本の第五高等学校に四年、文部省の留学生としてロンドンに二年、と各地で過ごしました。のちに英文学研究の成果を著した『文学論』の序文では「倫敦《ロンドン》に住み暮らしたる二年は尤《もっと》も不愉快《ふゆかい》の二年なり。余は英国紳士の間にあつて狼群《ろうぐん》に伍《ご》する一匹のむく犬の如く、あはれなる生活を営みたり」といっております。

まさに当時、世界の中心でもあった英国のロンドンにおいては、ちょうど幼少時に夏目家の「小さな一個の邪魔物」であったように、「狼群に伍する一匹のむく犬」のような存在でしかなかったのです。「狼群に伍する一匹のむく犬」はどのように生き延びたらいいのでしょうか。

また大学教授として東京に戻れば、早速《さっそく》に養父母が金を貸してくれとやってきます。いやでも幼少時に「小さな一個の邪魔物」として存在した自己を思い起こさざるをえません。この出来損《できそこ》ないの「小さな一個の邪魔物」は、この世界にどのように処《しょ》していったらいいのでしょうか。

ある意味において、漱石の文学はすべてこの問い掛けへの解答だったということができるかもしれません。「吾輩は猫である」の苦沙弥先生や「坊っちゃん」の坊っちゃんには、こうした問いを抱えながら周囲とうまく折り合いをつけることができずに右往左往《うおうさおう》する、ユーモラスな姿が描き出されます。

「草枕《くさまくら》」の画工、「野分《のわき》」の白井道也《しらいどうや》、「それから」の長井代助《ながいだいすけ》、「こころ」の先生など、漱石文学の主人公はみな「小さな一個の邪魔物」たる自己を、この世界のうちでどのように処していったらいいのか大いに悩み抜く人物ばかりです。

第五高等学校時代の教え子だった、科学者で作家の寺田寅彦《てらだとらひこ》は、作家として自覚する以前の漱石は、「創作に対する情熱の発露《はつろ》」を漢詩と俳句に求めていたが、それらは「云《い》わば遠からず爆発しようとする火山の活動のエネルギーが僅《わず》かに小噴気口の噴烟《ふんえん》や微弱な局部地震となって現われて居《い》たようなもの」（「夏目先生の俳句と漢詩」）といっております。

まさに作家としての漱石の出発は遅かったのですが、漱石は蓄《たくわ》えつづけた火山のマグマのようなエネルギーを一気に噴出することになります。一九〇五年の「吾輩は猫である」から一九一六年の未完に終わった「明暗」まで、休む間もなく爆発する火山のように書きつづけました。

それらの作品は現代の私たちにも、この「小さな一個の邪魔物」としての自己をこの世界のうちにどう処して、どのように生き抜いたらいいのかと問いつづけております。ある意味、それはいつの時代にも変わらない文学における根源的な問いなのですが、漱石は近代という時代の本質を深く探り、普遍性《ふへんせい》をもってそれを提示したのだといえます。

おわりに

「どうして十七歳なの？」

本書に取りかかっているあいだに、出会った人たちから「いま、何しているの？」と聞かれたとき、「作家たちの十七歳」というタイトルで、岩波ジュニア新書のために原稿を書いていると答えます。すると、必ずといっていいほど、こうした質問が返ってきました。そこで、本書の「はじめに」に記したようなことを話すと、フーンといって、分かったような分からないような顔をされます。

本書を書きあげてみて、あらためて十七歳という人生での一通過点がとても大事なものだということを実感しています。人生が十七歳の時点ですべて決定するというわけではありませんが、その後の人生の歩みにおいて十代後半という年齢が、ことのほか大切だということです。人間の一生には、そのときどきに節目《ふしめ》というものがあり、なかでも思春期にあたる十七歳頃の時期は、その人が人生の方向性を決定するのにとても大きな節目になっていると思われます。

「三つ子の魂《たましい》百まで」という言葉があります。三歳ぐらいのときの性質は百歳になってもそのまま残る、という意です。これと似ている表現に、「雀《すずめ》百まで踊りを忘れぬ」という言葉もあります。雀が死ぬまで飛んだり、跳《は》ねたりすることを忘れないように、子どものときの性格は歳をとっても変わらないということです。こうした言葉は、なにも科学的に実証されて、その正しさが確認されたというわけではありません。

現代風な言い方をすれば、昔からいい伝えられてきた故事成語《こじせいご》やことわざは、一種のビッグデータといってもいいでしょう。必ずしもその原因と結果とが科学的な根拠によって正しいと立証されたわけではありませんが、何百年、あるいは何千年の昔からの多くの事例によって、おおむねそうしたことがいえると推定された人生経験上の知識です。いわばこの人生を生き抜くための生きた知恵といってもいいでしょう。

もちろん、十七歳のときに光り輝いていたものが、その後の人生において輝きを失うこともありますし、その反対に十七歳のときにまったく冴《さ》えなかったものが、その後に大きく花を咲かせることもあるでしょう。その後の人生が右に行くか左に行くかは、十七歳をどのように過ごそうと、その後の人生の生き方にかかわっていることです。

それこそ初期値に鋭敏な天気と同じように、毎日のほんのちょっとした行為の積み重ねが初期値となって、その後に展開される人生に大きな影響を及ぼすことになるのです。先人の使い古した言葉を用いれば、塵《ちり》も積もれば山となるのです。その意味からいえば、私たちはいつも日々の努力を怠《おこた》ることができません。が、そうであったとしても、その後の人生の生き方を決めるにあたって、十代での選択や出会いがきわめて重要な意味をもつことは疑うことができないようです。

本書には、生涯においてなし遂《と》げた業績の全体像を把握《はあく》することができ、しかもその生涯の軌跡《きせき》もほぼ明らかにされている著名な作家を取りあげて、その生涯において十七歳前後での体験が、その作家の人生にどのように反映しているかを考えてみました。必ずしも十全にうまく解明できたとはいえないかもしれませんが、青春の微妙な時期の重要性といったことは明らかにできたのではないかと思います。

ここに取りあげた作家たちは、近代日本の文学史に名前を残したものたちばかりです。まだほかにも三島由紀夫《みしまゆきお》や川端康成《かわばたやすなり》、森鷗外《もりおうがい》など、ここに取りあげたい、いや取りあげなければならなかった作家も多くいます。しかし、新書であまり厚い本になってしまっても困るので、今回は筆者の独断と偏見で、ここに取りあげた六人にしぼりました。

しかし、それにしても、ここに取りあげた作家たちは、ある意味で恵まれた才能をもって、なおかつ努力も怠らなかったひとたちばかりです。それに引き比べて、自分自身の十七歳のときのことを考えると、いかに頼りなく、無自覚的に過ごしてしまったことかと、忸怩《じくじ》たる思いにかられます。もっと頑張っておくべきだったと大いに悔やまれますが、もはやあとの祭りです。

他山《たざん》の石という言葉があります。よその山から出た粗悪な石でも、自分の玉を磨《みが》く役には立つということで、他人のダメな言行《げんこう》も自分を磨くための役に立つということです。どんなに素晴らしい玉のような才能をもっていたとしても、それを磨こうとしなければ意味がありません。本書は、碌々《ろくろく》と生きてしまった老学者からの、新たな時代を切り拓《ひら》く次世代の若い人々へのほんのささやかな贈りものです。皆さんの潜在的な才能を磨くための他山の石として、この小さな本が少しでも役立つならば、それにまさる喜びはありません。

最後に、本書は岩波ジュニア新書編集部の村松真理さんと一緒に取り組んで、練りあげてきた仕事です。つねに適切なコメントを寄せてくれた村松さんに、心より深く感謝の意を表します。有り難うございました。

二〇二二年一月

千葉俊二

参考文献

はじめに

ジェイムズ・グリック、大貫昌子訳『カオス――新しい科学をつくる』(新潮文庫、一九九一年)
蔵本由紀『新しい自然学　非線形科学の可能性』(岩波書店、二〇〇三年)
同『非線形科学』(集英社新書、二〇〇七年)
千葉俊二『文学のなかの科学　なぜ飛行機は「僕」の頭の上を通ったのか』(勉誠出版、二〇一八年)

第一章　太宰治

『太宰治全集』全十三巻(筑摩書房、一九九八―九九年)
山内祥史『太宰治の年譜』(大修館書店、二〇一二年)
相馬正一「初期習作――大正十三年から昭和七年まで――」(『作品論　太宰治』所収、双文社出版、一九七四年)
アンリ・ベルクソン、原章二訳『精神のエネルギー』(平凡社ライブラリー、二〇一二年)

第二章　宮沢賢治

『校本 宮澤賢治全集』全十四巻（筑摩書房、一九七三―七七年）
堀尾青史『年譜 宮澤賢治伝』（中公文庫、一九九一年）
阿部孝「中学生の頃」（「四次元」百号記念特集、一九五九年一月）
佐藤通雅『賢治短歌へ』（洋々社、二〇〇七年）
島地大等編『漢和対照 妙法蓮華経』（明治書院、一九一四年）

第三章　芥川龍之介

『芥川龍之介全集』全二十四巻（岩波書店、一九九五―九八年）
葛巻義敏編『芥川龍之介未定稿集』（岩波書店、一九六八年）
西川英次郎「回想」（石割透編『芥川追想』所収、岩波文庫、二〇一七年）
広瀬雄「三中時代の芥川龍之介」（同右）
岩垂憲徳「芥川龍之介氏の中学生時代」（「国漢」、一九三七年八月）
小堀桂一郎『森鷗外の世界』（講談社、一九七一年）

第四章　谷崎潤一郎

『谷崎潤一郎全集』全二十六巻（中央公論新社、二〇一五―一七年）
辰野隆『谷崎潤一郎』（イヴニング・スター社、一九四七年）
記事「文豪谷崎潤一郎の通信簿」（「サンデー毎日」、一九六六年一一月二七日）
笹沼源之助「谷崎君の少年時代」（改造社版『谷崎潤一郎全集』月報第一号、一九三〇年四月）
同「神童谷崎」（中央公論社版『谷崎潤一郎全集』附録17、一九五八年一一月）
同「谷崎と偕楽園」（講談社版『日本現代文学全集』月報1、一九六〇年一〇月）
小林秀雄「谷崎潤一郎」（『小林秀雄全作品3』所収、新潮社、二〇〇二年）
三島由紀夫「谷崎潤一郎」（『作家論』所収、中央公論社、一九七〇年）

第五章　樋口一葉

『樋口一葉全集』全四巻（筑摩書房、一九七四―九四年）
塩田良平『樋口一葉研究　増補改訂版』（中央公論社、一九六八年）
和田芳恵『樋口一葉伝　一葉の日記』（新潮文庫、一九六〇年）
三宅花圃「女文豪が活躍の面影」（吉田精一編『樋口一葉研究』所収、新潮社、一九五六年）
穴沢清次郎「一葉さん」（同右）

樋口邦子「姉のことども」(「心の花」、一九二三年一二月)
森鷗外「三人冗語」(『鷗外全集』第二十三巻所収、岩波書店、一九七三年)

第六章　夏目漱石

『漱石全集』全二十八巻(岩波書店、一九九三―九九年)
正岡子規「筆まかせ」(『子規全集』第十巻所収、講談社、一九七五年)
荒正人『増補改訂　漱石研究年表』(集英社、一九八四年)
太田達人「予備門時代の漱石」(岩波書店版『漱石全集』月報第三号、一九三六年一月)
宮井一郎『詳伝　夏目漱石』上巻(国書刊行会、一九八二年)
吉村冬彦(寺田寅彦)「夏目先生の俳句と漢詩」(十川信介編『漱石追想』所収、岩波文庫、二〇一六年)

コラム　近代日本の学校制度

文部省編『学制百年史』記述編/資料編(ぎょうせい、一九七二年)
石川松太郎編『日本教育史』(玉川大学出版部、一九八七年)
教育百年史編纂会編『写真で見る　教育百年史』(日本図書センター、二〇一四年)

千葉俊二
1947年宮城県に生まれ，のち横浜に育つ．早稲田大学第一文学部卒業．早稲田大学大学院文学研究科博士課程中退．早稲田大学教育学部教授を経て，現在，早稲田大学名誉教授．谷崎潤一郎の文学を中心に，児童文学や森鷗外・寺田寅彦などの日本近代文学を幅広く研究しています．
著書に，『物語の法則』『物語のモラル』(いずれも青蛙房，2012年)，『文学のなかの科学』(勉誠出版，2018年)，『谷崎潤一郎』(集英社新書，2020年)など．

作家たちの17歳　　岩波ジュニア新書951

2022年4月20日　第1刷発行

著　者　千葉俊二《ちばしゅんじ》

発行者　坂本政謙

発行所　株式会社 岩波書店
〒101-8002 東京都千代田区一ツ橋2-5-5

案内 03-5210-4000　営業部 03-5210-4111
ジュニア新書編集部 03-5210-4065
https://www.iwanami.co.jp/

印刷・三陽社　カバー・精興社　製本・中永製本

ISBN 978-4-00-500951-0　　Printed in Japan

岩波ジュニア新書の発足に際して

きみたち若い世代は人生の出発点に立っています。きみたちの未来は大きな可能性に満ち、陽春の日のようにひかり輝いています。勉学に体力づくりに、明るくはつらつとした日々を送っていることでしょう。

しかしながら、現代の社会は、また、さまざまな矛盾をはらんでいます。営々として築かれた人類の歴史のなかで、幾千億の先達《せんだつ》たちの英知と努力によって、未知が究明され、人類の進歩がもたらされ、大きく文化として蓄積されてきました。にもかかわらず現代は、核戦争による人類絶滅の危機、貧富の差をはじめとするさまざまな人間的不平等、社会と科学の発展が一方においてもたらした環境の破壊、エネルギーや食糧問題の不安等々、来るべき二十一世紀を前にして、解決を迫られているたくさんの大きな課題がひしめいています。現実の世界はきわめて厳しく、人類の平和と発展のためには、きみたちの新しい英知と真摯《しんし》な努力が切実に必要とされています。

きみたちの前途には、こうした人類の明日の運命が託されています。ですから、たとえば現在の学校で生じているささいな「学力」の差、あるいは家庭環境などによる条件の違いにとらわれて、自分の将来を見限ったりはしないでほしいと思います。個々人の能力とか才能は、いつどこで開花するか計り知れないものがありますし、努力と鍛練の積み重ねの上にこそ切り開かれるものですから、簡単に可能性を放棄したり、容易に「現実」と妥協したりすることのないようにと願っています。

わたしたちは、これから人生を歩むきみたちが、生きることのほんとうの意味を問い、大きく明日をひらくことを心から期待して、ここに新たに岩波ジュニア新書を創刊します。現実に立ち向かうために必要とする知性、豊かな感性と想像力を、きみたちが自らのなかに育てるのに役立ててもらえるよう、すぐれた執筆者による適切な話題を、豊富な写真や挿絵とともに書き下ろしで提供します。若い世代の良き話し相手として、このシリーズを注目してください。わたしたちもまた、きみたちの明日に刮目《かつもく》しています。(一九七九年六月)

864 榎本武揚と明治維新
―旧幕臣の描いた近代化
黒瀧秀久

幕末・明治の激動期に「蝦夷共和国」を夢見て戦い、その後、日本の近代化に大きな役割を果たした榎本の波乱に満ちた生涯。

865 はじめての研究レポート作成術
沼崎一郎

図書館とインターネットから入手できる資料を用いた研究レポート作成術を、初心者にもわかるように丁寧に解説。

866 その情報、本当ですか？
―ネット時代のニュースの読み解き方
塚田祐之

ネットやテレビの膨大な情報から「真実」を読み取るにはどうすればよいのか。若い世代のための情報リテラシー入門。

867 〈知の航海〉シリーズ
ロボットが家にやってきたら…
―人間とAIの未来
遠藤　薫

身近になったお掃除ロボット、ドローン、AI家電…。ロボットは私たちの生活をどう変えるのだろうか。

868 司法の現場で働きたい！
―弁護士・裁判官・検察官
打越さく良
佐藤倫子 編

13人の法律家（弁護士・裁判官・検察官）たちが、今の職業をめざした理由、仕事の面白さや意義を語った一冊。

869 生物学の基礎はことわざにあり
―カエルの子はカエル？ トンビがタカを生む？
杉本正信

動物の生態や人の健康、遺伝や進化、そして生物多様性まで、ことわざや成句を入り口に生物学を楽しく学ぼう！

870 覚えておきたい 基本英会話フレーズ130　小池直己
基本単語を連ねたイディオムや慣用的フレーズを厳選して解説。ロングセラー『英会話の基本表現100話』の改訂版。

871 リベラルアーツの学び ―理系的思考のすすめ　芳沢光雄
分野の垣根を越えて幅広い知識を身につけるリベラルアーツ。様々な視点から考える力を育む教育の意義を語る。

872 世界の海へ、シャチを追え！　水口博也
深い家族愛で結ばれた海の王者の、意外な素顔。写真家の著者が、臨場感あふれる美しい文章でつづる。〔カラー口絵16頁〕

873 台湾の若者を知りたい　水野俊平
若者たちの学校生活、受験戦争、兵役、就活……、3年以上にわたる現地取材を重ねて知った意外な日常生活。

874 男女平等はどこまで進んだか ―女性差別撤廃条約から考える　山下泰子・矢澤澄子監修／国際女性の地位協会編
女性差別撤廃条約の理念と内容を、身近なテーマを入り口に優しく解説。同時に日本の課題を明らかにします。

875 知の古典は誘惑する 〈知の航海〉シリーズ　小島毅 編著
長く読み継がれてきた古今東西の作品を紹介。古典は今を生きる私たちに何を語りかけてくれるでしょうか？

877・876 **数学を嫌いにならないで**
基本のおさらい篇
文章題にいどむ篇
ダニカ・マッケラー
菅野仁子 訳

数学が嫌い？ あきらめるのはまだ早い。この本を読めばバラ色の人生が開けるかもしれません。アメリカの人気女優ダニカ先生が教えるとっておきの勉強法。苦手なところを全部きれいに片付けてしまいましょう。いつのまにか数学が得意になります！

878 **10代に語る平成史**
後藤謙次

消費税の導入、バブル経済の終焉、テロとの戦い…、激動の30年をベテラン政治ジャーナリストがわかりやすく解説します。

879 **アンネ・フランクに会いに行く**
谷口長世

ナチ収容所で短い生涯を終えたアンネ・フランク。アンネが生き抜いた時代を巡る旅を通して平和の意味を考えます。

880 **核兵器はなくせる**
川崎 哲

ノーベル平和賞を受賞したＩＣＡＮの中心にいて、核兵器廃絶に奔走する著者が、核の現状や今後について熱く語る。

881 **不登校でも大丈夫**
末富 晶

「学校に行かない人生＝不幸」ではなく、「幸福な人生につながる必要な時間だった」と自らの経験をふまえ語りかける。

882 40億年、いのちの旅　伊藤明夫
40億年に及ぶとされる、生命の歴史。それをひもときながら、私たちの来た道と、これから行く道を、探ってみましょう。

883 生きづらい明治社会 ―不安と競争の時代　松沢裕作
近代化への道を歩み始めた明治とは、人々にとってどんな時代だったのか？ 不安と競争をキーワードに明治社会を読み解く。

884 居場所がほしい ―不登校生だったボクの今　浅見直輝
中学時代に不登校を経験した著者。マイナスに語られがちな「不登校」を人生のチャンスととらえ、当事者とともに今を生きる。

885 香りと歴史 7つの物語　渡辺昌宏
玄宗皇帝が涙した楊貴妃の香り、織田信長が切望した蘭奢待など、歴史を動かした香りをめぐる物語を紹介します。

886 〈超・多国籍学校〉は今日もにぎやか！ ―多文化共生って何だろう　菊池 聡
外国につながる子どもたちが多く通う公立小学校。長く国際教室を担当した著者が語る、これからの多文化共生のあり方。

889 めんそーれ！ 化学 ―おばあと学んだ理科授業　盛口 満
料理や石けんづくりで、化学を楽しもう。戦争で学校へ行けなかったおばあたちが学ぶ教室へ、めんそーれ（いらっしゃい）！

888・887
数学と恋に落ちて
未知数に親しむ篇
方程式を極める篇
ダニカ・マッケラー
菅野仁子訳

将来、どんな道に進むにせよ、数学はあなたに力と自由を与えます。数学を研究し、女優としても活躍したダニカ先生があなたの夢をサポートする数学入門書の第二弾。式の変形や関数のグラフなど、方程式でつまずきやすいところを一気におさらい。

890
情熱でたどるスペイン史
池上俊一

長い年月をイスラームとキリスト教が影響しあって生まれた、ヨーロッパの「異郷」。衝突と融和の歴史とは？（カラー口絵8頁）

891
不便益のススメ
―新しいデザインを求めて
川上浩司

効率化や自動化の真逆にある「不便益」という新しい思想・指針を、具体的なデザイン、モノ・コトを通して紹介する。

892
ものがたり西洋音楽史
近藤　譲

中世から20世紀のモダニズムまで、作曲家や作品、演奏法や作曲法、音楽についての考え方の変遷をたどる。

893
「空気」を読んでも従わない
―生き苦しさからラクになる
鴻上尚史

どうしてこんなに周りの視線が気になるの？どうして「空気」を読まないといけないの？その生き苦しさの正体について書きました。

900 男子が10代のうちに考えておきたいこと　田中俊之
男らしさって何？　性別でなぜ期待される生き方や役割が違うの？　悩む10代に男性学の視点から新しい生き方をアドバイス。

901 カガク力《りょく》を強くする！　元村有希子
疑い、調べ、考え、判断する力＝カガク力！科学・技術の進歩が著しい現代だからこそ、一人一人が身に着ける必要性と意味を説く。

902 世界の神話　沖田瑞穂
個性豊かな神々が今も私たちを魅了する聖なる物語・神話。世界各地に伝わる神話のエッセンスを凝縮した宝石箱のような一冊。

903 「ハッピーな部活」のつくり方　中澤篤史　内田　良
長時間練習、勝利至上主義など、実際の活動から問題点をあぶり出し、今後に続くあり方を提案。「部活の参考書」となる一冊。

904 ストライカーを科学する
―サッカーは南米に学べ！　松原良香
南米サッカーに精通した著者が、現役南米代表などへの取材をもとに分析。決定力不足を克服し世界で勝つための道を提言。

905 15歳、まだ道の途中　高原史朗
「悩み」も「笑い」もてんこ盛り。そんな中学三年の一年間を、15歳たちの目を通して瑞々しく描いたジュニア新書初の物語。

906 レギュラーになれないきみへ　元永知宏

スター選手の陰にいる「補欠」選手たち。果たして彼らの思いとは？ 控え選手たちの姿を通して「補欠の力」を探ります。

907 俳句を楽しむ　佐藤郁良

句の鑑賞方法から句会の進め方まで、季語や文法の説明を挟み、ていねいに解説。句作の楽しさ・味わい方を伝える一冊。

908 発達障害　思春期からのライフスキル　平岩幹男

「今のうまくいかない状況」をどうすれば「何とかなる状況」に変えられるのか。専門家がそのトレーニング法をアドバイス。

909 ものがたり日本音楽史　徳丸吉彦

縄文の素朴な楽器から、雅楽・能楽・歌舞伎・文楽、現代邦楽…日本音楽と日本史の流れがわかる、コンパクトで濃厚な一冊！

910 ボランティアをやりたい！―高校生ボランティア・アワードに集まれ　風に立つライオン基金編　さだまさし

「誰かの役に立ちたい！」各地でボランティアを行っている高校生たちのアイディアに満ちた力強い活動を紹介します。

911 オリンピック・パラリンピックを学ぶ　後藤光将編著

オリンピックが「平和の祭典」と言われるのはなぜ？ オリンピック・パラリンピックの基礎知識。

912 新・大学でなにを学ぶか　上田紀行 編著
大学では何をどのように学ぶのか？ 池上彰氏をはじめリベラルアーツ教育に携わる気鋭の大学教員たちからのメッセージ。

913 統計学をめぐる散歩道　―ツキは続く？ 続かない？　石黒真木夫
天気予報や選挙の当選確率、くじの当たり外れやじゃんけんの勝敗などから、統計のしくみをのぞいてみよう。

914 読解力を身につける　村上慎一
評論文、実用的な文章、資料やグラフ、文学的な文章の読み方を解説。名著『なぜ国語を学ぶのか』の著者による国語入門。

915 きみのまちに未来はあるか？　―「根っこ」から地域をつくる　除本理史・佐無田光
地域の宝物＝「根っこ」と自覚した住民によるまちづくりが活発化している。各地の事例から、未来へ続く地域の在り方を提案。

916 博士の愛したジミな昆虫　金子修治・鈴木紀之・安田弘法 編著
SFみたいなびっくり生態、生物たちの複雑怪奇なからみ合い。その謎を解いていくワクワクを、昆虫博士たちが熱く語る！

917 有権者って誰？　藪野祐三
あなたはどのタイプの有権者ですか？ 社会に参加するツールとしての選挙のしくみや意義をわかりやすく解説します。

918 議会制民主主義の活かし方 ―未来を選ぶために　糠塚康江

私達は忘れている。未来は選べるということを。必要なのは議会制民主主義を理解し、使いこなす力を持つこと、と著者は説く。

919 繊細すぎてしんどいあなたへ HSP相談室　串崎真志

繊細すぎる性格を長所としていかに活かすかをアドバイス。「繊細でよかった!」読後にそう思えてくる一冊。

920 10代から考える生き方選び　竹信三恵子

10代にとって最適な人生の選択とは? 各選択肢が孕むメリットやリスクを俯瞰しながら、生き延びる方法をアドバイスする。

921 一人で思う、二人で語る、みんなで考える ―実践! ロジコミ・メソッド　追手門学院大学成熟社会研究所 編

課題解決に役立つアクティブラーニングの道具箱。多様な意見の中から結論を導くロジカルコミュニケーションの方法を解説。

922 できちゃいました! フツーの学校　富士晴英とゆかいな仲間たち

生徒の自己肯定感を高め、主体的に学ぶ場を作ろう。校長からのメッセージは「失敗OK!」「さあ、やってみよう」

923 こころと身体の心理学　山口真美

金縛り、夢、絶対音感――。様々な事例をもとに第一線の科学者が自身の病とも向き合って解説した、今を生きるための身体論。

924 過労死しない働き方
―働くリアルを考える
川人 博
過労死や過労自殺に追い込まれる若い人を、どうしたら救えるのか。よりよい働き方・職場のあり方を実例をもとに提案する。

925 障害者とともに働く
藤井克徳
星川安之
「障害のある人の労働」をテーマに様々な企業の事例を紹介。誰もが安心して働ける社会のあり方を考えます。

926 人は見た目！と言うけれど
―私の顔で、自分らしく
外川浩子
見た目が気になる、すべての人へ！「見た目問題」当事者たちの体験などさまざまな視点から、見た目と生き方を問いなおす。

927 地域学をはじめよう
山下祐介
地域固有の歴史や文化等を知ることで、自分・社会・未来が見えてくる。時間と空間を往来しながら、地域学の魅力を伝える。

928 自分を励ます英語名言101
小池直己
佐藤誠司
自分に勇気を与え、励ましてくれるさまざまな先人たちの名句名言に触れながら、自然に英文法の知識が身につく英語学習入門。

929 女の子はどう生きるか
―教えて、上野先生！
上野千鶴子
女の子たちが日常的に抱く疑問やモヤモヤに、上野先生が全力で答えます。自分らしい選択をする力を身につけるための1冊。

930 平安男子の元気な!生活　川村裕子

意外とハードでアクティブだった!? 恋に出世にライバル対決、元祖ビジネスパーソンたちのがんばりを、どうぞご覧あれ☆

931 SDGs時代の国際協力 ―アジアで共に学校をつくる　西村幹子・小野道子・井上儀子

バングラデシュの子どもたちの「学校に行きたい!」を支えて――NGOの取組みから未来をつくるパートナーシップを考える。

932 コミュニケーション力を高める プレゼン・発表術　上坂博亨・大谷孝行・里見安那

パワポスライドの効果的な作り方やスピーチの基本を解説。入試や就活でも役立つ「自己表現」のスキルを身につけよう。

933 確かめてナットク! 物理の法則　ジョー・ヘルマンス／村岡克紀 訳

ロウソクとLED、どっちが高効率? 物理学は日常的な疑問にも答えます。公式だけじゃない、物理学の醍醐味を味わおう。

934 深掘り! 中学数学 ―教科書に書かれていない数学の話　坂間千秋

三角形の内角の和はなぜ180°になる? なぜ割り算はゼロで割ってはいけない? なぜマイナス×マイナスはプラスになる?…

935 はじめての哲学　藤田正勝

なぜ生きるのか? 自分とは何か? 日常の一歩先にある根源的な問いを、やさしい言葉で解きほぐします。ようこそ、哲学へ。

936 ゲッチョ先生と行く 沖縄自然探検　盛口　満

沖縄島、与那国島、石垣島、西表島、宮古島を中心に、様々な生き物や島の文化を、著名な博物学者がご案内！〔図版多数〕

937 食べものから学ぶ世界史 ―人も自然も壊さない経済とは？　平賀　緑

食べものから「資本主義」を解き明かす！産業革命、戦争…。食べものを「商品」に変えた経済の歴史を紹介。

938 国語をめぐる冒険　渡部泰明・平野多恵・出口智之・田中洋美・仲島ひとみ

世界へ一歩踏み出せば、新しい出会いと成長への機会が待っています。国語を使ってどう生きるか、冒険をモチーフに語ります。

940 俳句のきた道 芭蕉・蕪村・一茶　藤田真一

古典を知れば、俳句がますますおもしろくなる！　個性ゆたかな三俳人の、名句と人生、俳句の心をたっぷり味わえる一冊。

941 ＡＩの時代を生きる ―未来をデザインする創造力と共感力　美馬のゆり

人とＡＩの未来はどうあるべきか。「創造力と共感力」をキーワードに、よりよい未来のつくり方を語ります。

942 親を頼らないで生きるヒント ―家族のことで悩んでいるあなたへ　コイケ ジュンコ　ＮＰＯ法人ブリッジフォースマイル協力

虐待やヤングケアラー…、子どもはどのようにＳＯＳを出せばよいのか。社会的養護のもとで育った当事者たちの声を紹介。

943 数理の窓から世界を読みとく ―素数・AI・生物・宇宙をつなぐ 初田哲男 柴藤亮介 編著

数学を使いさまざまな事象を理論的に解明する方法、数理。若手研究者たちが数理を共通言語に、瑞々しい感性で研究を語る。

944 自分を変えたい ―殻を破るためのヒント 宮武久佳

いつも同じメンバーと同じ話題。親に勧められた大学に進学し、楽勝科目で単位を稼ぐ。ずっとこのままでいいのかなあ?

945 ヨーロッパ史入門 原形から近代への胎動 池上俊一

古代ギリシャ・ローマから、文化的統合体としてのヨーロッパの成立、ルネサンスや宗教改革を経て、一七世紀末までを俯瞰。

946 ヨーロッパ史入門 市民革命から現代へ 池上俊一

近代国家の成立や新しい思想の誕生、二度の大戦、アメリカや中国の台頭。「古い大陸」ヨーロッパがたどった近現代を考察。

947 〈読む〉という冒険 イギリス児童文学の森へ 佐藤和哉

アリス、プーさん、ナルニア……名作たちは、本当は何を語っている?「冒険」する読みかた、体験してみませんか。

948 私たちのサステイナビリティ ―まもり、つくり、次世代につなげる 工藤尚悟

「サステイナビリティ」とは何かを、気鋭の研究者が、若い世代に向けて、具体例を交えわかりやすく解説する。